GEURIGE
KRUIDENTUIN
NTOOR
E RECTOR
NOORDER
TOREN
MENSA
AULA MAGNA
TOPFORD
TOPFORD
RAP MET
NDKAARTEN

Welkom in de wereld van de

Thea Sisters

Dit boek is van:

Hoi, ik ben Thea!

Ja, ik ben de enige echte Thea Stilton,
de zus van *Geronimo Stilton!*

Ik ben speciaal verslaggeefster bij De Wakkere Muis, de meest gelezen krant van wakker Muizeneiland.
Ik ben gek op reizen en avontuur en ik vind het fantastisch om knagers uit de hele wereld te leren kennen!
Op het Topford College, waar ik vroeger zelf op zat en waar ik nu les geef, heb ik vijf superspeciale muizinnetjes leren kennen: Colette, Nicky, Pamela, Paulina en Violet. Zij zijn heel goede vriendinnen van elkaar en vonden mij zo aardig dat ze hun groepje naar mij hebben genoemd: de Thea Sisters (Engels voor Thea zussen). Ik was natuurlijk zeer vereerd en heb besloten hun avonturen op te schrijven.

De muizenissige avonturen van de...

THEA SISTERS

Nicky

Naam: Nicky
Bijnaam: Nic
Geboorteland: Australië (Oceanië)
Droom: een schoner milieu!
Hobby's en liefhebberijen: natuur en buitenlucht.
Goede eigenschappen: heeft altijd een stralend humeur... als ze maar naar buiten kan!
Minder goede eigenschappen: kan geen seconde stilzitten.
Bijzondere eigenschappen: lijdt aan claustrofobie (wordt bang in afgesloten ruimtes).

Colette

Naam: Colette
Bijnaam: Coco
Geboorteland: Frankrijk (Europa)
Droom: omdat ze erg in de mode is geïnteresseerd, droomt ze ervan modejournaliste te worden!
Hobby's en liefhebberijen: de kleur roze.
Goede eigenschappen: is bijzonder ondernemend en behulpzaam.
Minder goede eigenschappen: komt áltijd te laat!
Bijzondere eigenschappen: als ze zenuwachtig is, gaat ze haar nagels verzorgen of haar haar wassen en in model föhnen om zich te ontspannen.

Colette

Violet

Naam: Violet

Bijnaam: Vivi

Geboorteland: China (Azië)

Droom: een beroemde violiste worden.

Hobby's en liefhebberijen: studeren! Ze is een echte intellectueel!

Goede eigenschappen: is erg precies en vindt het heerlijk om nieuwe dingen te ontdekken!

Minder goede eigenschappen: is snel op haar teentjes getrapt en kan er niet tegen om voor de gek te worden gehouden! Als ze te weinig slaap krijgt, kan ze zich niet meer concentreren!

Bijzondere eigenschappen: ontspant zich door het luisteren naar klassieke muziek onder het genot van een kopje groene thee met fruitsmaak.

Paulina

Naam: Paulina
Bijnaam: Pilla
Geboorteland: Peru (Zuid-Amerika)
Droom: wetenschapster worden!
Hobby's en liefhebberijen: reizen en mensen uit de hele wereld leren kennen. Ze is gek op haar zusje Maria.
Goede eigenschappen: heeft een groot hart en staat altijd voor anderen klaar.
Minder goede eigenschappen: is soms wat in zichzelf gekeerd en... een vreselijke knoeipot.
Bijzondere eigenschappen: de computer kent geen geheimen voor haar! Het lukt haar om zelfs de moeilijkste zaken op te lossen door te zoeken op internet.

Pamela

Naam: Pamela
Bijnaam: Pam
Geboorteland: Tanzania (Afrika)
Droom: sportjournaliste of automonteur worden.
Hobby's en liefhebberijen: pizza, pizza en nog eens pizza! Bij het ontbijt, tussen de middag en bij het avondeten!
Goede eigenschappen: al lijkt ze soms behoorlijk bazig, eigenlijk is ze de vredestichtster van de groep! Ze heeft een ontzettende hekel aan ruzie!
Minder goede eigenschappen: is onnadenkend en impulsief!
Bijzondere eigenschappen: geef haar een schroevendraaier en een Engelse sleutel en ze repareert alles wat kapot is!

Wil jij ook een Thea Sister zijn?

Schrijf hier je naam!

Naam: ________________

Bijnaam: ________________

Geboorteland: ________________

Droom: ________________

____

____

Hobby's en liefhebberijen: ________________

Goede eigenschappen: ________________

____

Minder goede eigenschappen: ________________

Bijzondere eigenschappen: ________________

____

Gebaseerd op een idee van Elisabetta Dami.

Tekst: Thea Stilton
Oorspronkelijke titel: Il Tesoro di Ghiaccio
Redactie Italiaanse editie: Red Whale, Katja Centomo *en* Francesco Artibani
Eindredactie Italiaanse editie: Flavia Barelli *en* Mariantonia Cambareri.
Coördinatie redactie Italiaanse editie en supervisie illustraties: Giulia Di Pietro.
Supervisie test: Caterina Mognato
Research onderwerp: Francesco Artibani *en* Caterina Mognato.
Referentie-illustraties: Manuela Razzi.
Illustraties: Alessandro Battan, Jacopo Brandi, Flavia Ceccarelli, Francesco Colombo, Paolo Ferrante, Michela Frare, Sonia Matrone, Arianna Rea, Maurizio Roggerone *en* Roberta Tedeschi.
Inkleuring: Tania Boccalini, Concetta Daidone, Ketty Formaggio, Edwin Nori, Elena Sanjust *en* Micaela Tangorra.
Ontwerp: Paola Cantoni.
Met medewerking van Michela Battaglin

Vertaling: Pauline Akkerhuis

ISBN 978 9085 92 091 5

ISBN 978 9054 61 465 4 D/2010/6186/01

NUR 282/283

Druk: Drukkerij Slinger, Alkmaar (NL)

Thea Stilton

Het ijzingwekkende geheim

Hallo vrienden en vriendinnen!

Willen jullie de Thea Sisters helpen bij dit nieuwe avontuur? Het is echt niet moeilijk: het enige wat je hoeft te doen is alle aanwijzingen opvolgen! Als je dit vergrootglas ziet, is het opletten geblazen: op die bladzijde staat een belangrijke tip. Tussendoor zetten we alles op een rijtje zodat we niets vergeten.

Zijn jullie er klaar voor?

Het mysterie wacht op jullie!

Ik hoef geen water meer!!!

Het was zo'n avond waarop je **VERSTIJFD** van de kou en met een KLETSNATTE staart thuiskomt! Ik had de hele dag op de redactie doorgebracht. Ja, je hebt het goed gelezen, op de redactie. Ik werk als speciaal verslaggeefster bij **De Wakkere Muis**, de meest gelezen krant van Muizeneiland. Mijn broer Geronimo is directeur van deze krant. Eigenlijk zit ik normaal nooit de hele dag op kantoor. Het is niets voor mij om de hele dag binnen te zitten. Maar die dag had Geronimo me gevraagd om voor hem in te vallen.

Hij ging namelijk een dagje uit met ons neefje Benjamin. Ik kon hem dit natuurlijk niet weigeren! Hoewel het water met bakken uit de hemel kwam, ging ik toch lopend naar huis. Na een hele dag BINNENDIENST, móest ik even naar buiten om de POTEN te strekken. Mijn naam zou geen Thea Stilton zijn als ik me door een beetje water liet tegenhouden!

Ik was nog maar een paar meter van mijn voordeur verwijderd, toen een grote, blauwe **SLEE** met volle vaart langs de stoep **SCHEURDE.**
Ik kreeg een enorme plas water over me heen.
PLETS!!!
Ik was van de puntjes van mijn oren tot mijn poten kletskleddernat!
Ik hapte naar adem.
BRRRRRRRR! Wat koud!
Ik was tot op m'n **BOTTEN** verkleumd.
Op dat moment hoorde ik mijn mobieltje overgaan. **TRRING-TRRING!**
Ik viste het uit mijn jaszak en… weet je wat ik op mijn schermpje zag? Een flesje mineraalwater met het opschrift **ICEWATER***.
En de tekst: *EEN DUIK IN DE NOORDELIJKE IJSZEE!*
Ik sperde mijn **OGEN** wijd open: probeerde iemand me soms in de **MALING** nemen?

* ICEWATER: Engels voor 'ijswater'.

Of was het een reclameboodschap? Het bleek een MMS van mijn dierbare Nicky te zijn: de tekst luidde: HOI THEA! WE ZIJN IN BARROW! Mijn hersens begonnen als een wereldbol op volle toeren te draaien, totdat me te binnen schoot dat Barrow de meest NOORDELIJKE stad van de Verenigde Staten is! Het ligt in Alaska! Wat had Nicky daar te zoeken?

Het bericht ging verder: PAULINA, Violet, Pamela, Colette en ik, ALLE THEA SISTERS DUS! ALS JE DE E-MAIL LEEST DIE WE JE HEBBEN GESTUURD, WEET JE PRECIES WAT ER GEBEURD IS!

Dus, wat deed ik?

MMS

Mms *(multimedia messaging service)* is de multimediale opvolger van de sms *(short message service)*. Met een mobiele telefoon die mms ondersteunt, kun je grotere bestanden versturen, zoals foto's, plaatjes, geluidsfragmenten.

zette een pot WARME THEE en...
las vervolgens
in één adem het
nieuwe avontuur van
mijn vriendinnen de
THEA SISTERS uit!

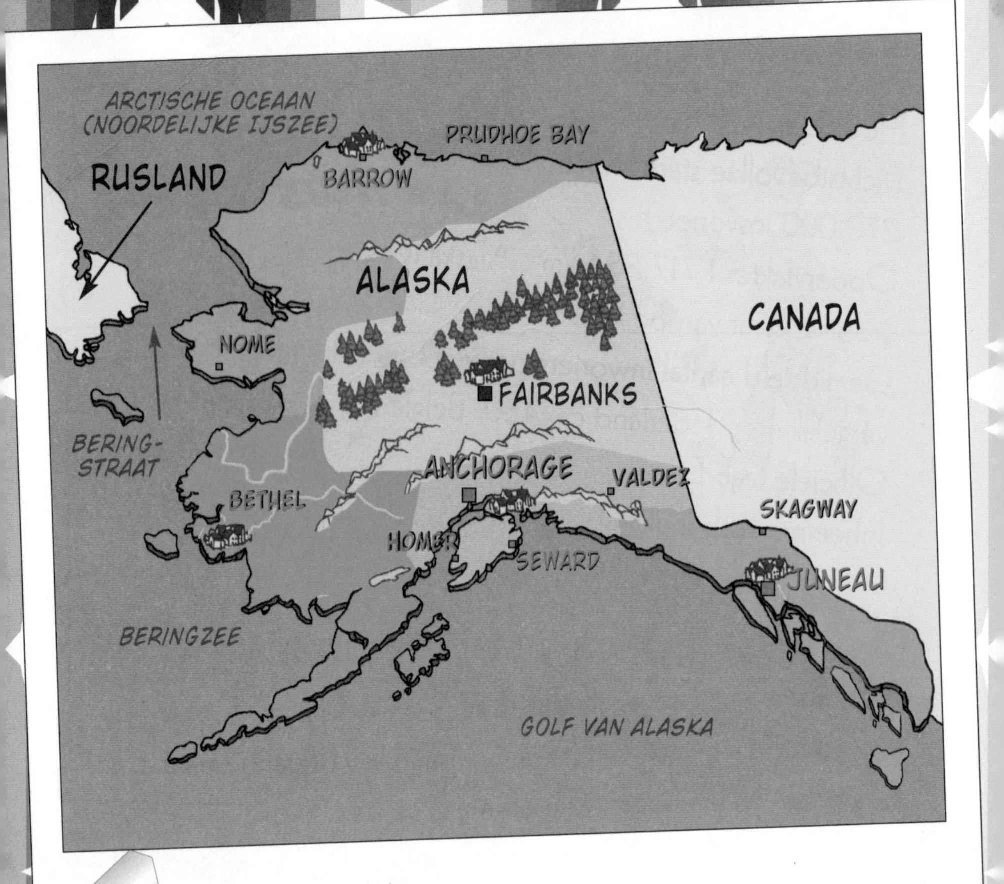

GESCHIEDENIS

De ontdekkingsreizigers **Vitus Bering** en **Aleksei Chirikov** zetten in 1741 als eerste Europeanen voet aan wal in Alaska. In 1778 volgde **James Cook.** Van 1784 tot 1867 was Alaska in Russische handen, daarna werd het aan Amerika verkocht. Pas in 1959, op 3 januari om precies te zijn, werd het als 49ste staat tot de VS toegelaten.

ALASKA

Hoofdstad: Juneau
Dichtstbevolkte stad: Anchorage (ruim 270.000 inwoners).
Oppervlakte: 1.717.854 km^2. Alaska is de grootste staat van de VS.
Gemiddeld aantal inwoners per vierkante kilometer: 0,44 (ter vergelijking: Nederland ca. 480, België ca. 350)
Officiële taal: Engels
Inheemse taal: Inuktitut

AARDRIJKSKUNDE

Alaska is de enige staat van de VS (Verenigde Staten) die wel deel uitmaakt van het Amerikaanse vasteland, maar aan geen van de andere 48 staten grenst. Het grenst alleen aan Canada en is verder omringd door zee. De **Beringstraat** scheidt Alaska van Rusland.

BARROW

Barrow ligt helemaal in het bovenste puntje van Alaska en is daarmee de noordelijkste stad van de VS. Ieder jaar blijft, voor meer dan 100 dagen achter elkaar, de temperatuur hier een flink eind onder nul. Dit wordt ook wel de lange Arctische Nacht genoemd. De gemiddelde temperatuur is dan -25 °C, maar het kan ook -40 °C worden! Er waaien harde sneeuwstormen en alles is met sneeuw en ijs bedekt. In de open lucht is er nergens vloeibaar water te vinden, alles is bevroren.

De grote bijeenkomst

Het was laat in de herfst. Op *Walviseiland* waaide een ijzige **NOORDENWIND**. De winter stond duidelijk voor de deur.

Zelfs de minst ijverige studenten bleven liever binnen, in de warme klaslokalen van TOPFORD COLLEGE.

In een mum van tijd lagen de tuinpaden er verlaten bij.

Paulina zat in de COMPUTERKLAS een e-mail van de milieubeweging de *Groene Muizen** te lezen. De e-mail kondigde de Grote Bijeenkomst van de Groene Muizen aan.

Tijdens deze **bijeenkomst,** die iedere vijf jaar plaatsvond, werd de "staat van GEZONDHEID" van de wereld onder de loep genomen. Paulina zag ook Nicky's naam staan op de lange lijst van genodigden. Maar het was een andere naam die haar **hart** een sprongetje deed maken: Ashvin Patna, van de Groene Muizen van Delhi, in India!

Paulina had deze knager op een zomerkamp leren kennen en sindsdien was hij nog niet veel uit haar gedachten geweest. Hij en zijn grote bruine **OGEN** hadden zelfs zo'n diepe indruk

* Weet je nog? De Groene Muizen kwamen de Thea Sisters te hulp in het verhaal *De Verborgen Stad.*

op haar gemaakt, dat ze graag naar het andere einde van de wereld zou reizen om hem terug te zien!

Waar wordt de Grote Bijeenkomst dit jaar trouwens gehouden? vroeg ze zich af, terwijl ze de tekst van de E-MAIL over het scherm liet rollen. In de laatste regel las ze de plaatsnaam: BARROW.

Ze zou inderdaad naar… het andere einde van de wereld moeten reizen!

'Barrow in ALASKA?' riep Pamela opgewonden uit, toen Nicky en Paulina hun vriendinnen over hun reisplannen vertelden. 'Wel alle vastgelopen MOTORBLOKKEN! Ik ben wel jaloers hoor, sisters! Ik droom mijn hele leven al van een sledetocht op de ijsvlakte!'

Colette was iets minder enthousiast: 'In de *winter* naar de Noordpool? Je wilt niet weten hoe slecht zo'n extreem KLIMAAT voor je huid is!'

Violet vroeg **ongelovig:** 'Hebben de Groene Muizen echt een vestiging in zo'n afgelegen plaats als Barrow?'
'Echt waar!' bevestigde Paulina. Maar ze zei er gelijk achteraan: 'De Groene Muizen worden daar maar door één INUIT knager vertegenwoordigd: Kanuk Krilaut is de *president, de secretaris* en ook *het enige lid van de club!'*
Violet was stomverbaasd: 'Hoe lang duurt die REIS wel niet?'

INUIT

De **Inuit** waren de eerste bewoners van de gebieden in het hoge noorden van de VS en Siberië. Deze poolbewoners worden meestal Eskimo's genoemd, maar zelf noemen ze zich *Inuit,* wat in hun taal (het *Inuktitut*) gewoon "mensen" betekent.
Behalve in Alaska, wonen er ook Inuit in het poolgebied van **Canada, Groenland** en **Siberië.** Om zichzelf en alles wat met hun volk te maken heeft te beschermen hebben ze de **ICC** opgericht (Inuit Circumpolar Conference), een hele grote organisatie die opkomt voor alle Inuit.

RUSLAND
BARROW
ALASKA
BERING-
STRAAT
FAIRBANKS
ANCHORAGE

'We zijn ruim een week weg,' gaf Nicky toe. 'Misschien zelfs tien dagen...'
Geschrokken vroeg Violet haar vriendinnen: 'En de wedstrijd?! Zijn jullie de **WEDSTRIJD** vergeten?! Als jullie tien dagen naar **ALASKA** gaan, krijgen we de reportage nooit op tijd af!'
Violet had gelijk: dat waren Paulina en Nicky compleet vergeten...

Beelden uit de wereld

Wat was er twee weken eerder gebeurd? Mevrouw Gijsje Geitenkaas, lerares COMMUNICATIE, had het idee geopperd om mee te doen aan de belangrijke wedstrijd "BEELDEN UIT DE WERELD". Voor de studenten was het een prima **SPRINGPLANK** om naam te maken in de wereld van de journalistiek. De Thea Sisters hadden

besloten om mee te doen met een reportage over *Walviseiland*.

Pamela schoot Nicky en Paulina als eerste te hulp: 'Ik vind dat ze naar Barrow moeten gaan! Wedstrijden zijn er altijd... maar de **Grote Bijeenkomst** is er maar eens in de vijf jaar!'

BEELDEN UIT DE WERELD

GROTE INTERNATIONALE WEDSTRIJD

Wat fotografeer je?

Beelden uit de wereld kan natuurlijk van alles zijn: je kamer, je huis, je familie, je school, je vrienden, de straat waar je elke dag overheen naar school rijdt of de natuur die je onderweg ziet. Je kunt een detail fotograferen, een sfeerbeeld, een groepsportret, een landschap of een gebeurtenis. Het gaat erom dat de foto's iets vertellen over jouw wereld. Of over een wereld waar jij iets over wilt vertellen. Waarvan jij vindt dat het onder de aandacht gebracht moet worden. Laat de foto's het verhaal vertellen.

Maak verschillende opnames en haal de beste eruit. Ga op een goed tijdstip van de dag (let op het licht) op pad met je fototoestel en kijk goed om je heen. Maak meer dan één opname zodat je wat te kiezen heb. Wees kritisch op je eigen werk, denk goed na over wat volgens jou een goede foto is. Stuur alleen foto's in waarvan je denkt dat ze geschikt zijn voor de wedstrijd!

We zijn op zoek naar knagers die mooie onderwerpen fotograferen, maar vooral knagers die deze onderwerpen origineel in beeld brengen.

Gebruik je creativiteit!

We rekenen erop dat jullie elkaar helpen met tips en aanwijzingen!

De deskundige jury bestaat dit jaar uit de internationaal gelauwerde fotojournalisten Teun Digitaal en Anneke Lens. Je reportage moet uiterlijk vóór het einde van het jaar bij ons binnen zijn. De uitslag zal begin volgend jaar bekend gemaakt worden. Over de uitslag kan niet worden gecorrespondeerd.

Nicky wierp haar een DANKBARE blik toe, maar Paulina voelde zich niet op haar gemak. Ze had Violet iets beloofd en wilde haar niet TELEURSTELLEN. Aan de andere kant hechtte ze ook veel waarde aan haar strijd voor het milieu met de Groene Muizen.

Wat moest ze doen?

'Probeer ze over te halen om de bijeenkomst ergens dichterbij te houden!' stelde Colette voor. 'Zo spaar je de kool en de geit, of liever gezegd: *de kaas en de muis!*'
Het was in ieder geval het proberen waard…
Nicky opperde: 'En als we Ashvin eens belden?'
Dat vond Paulina een geweldig idee.
Ze GING achter haar COMPUTER zitten, belde naar het verre India, en al snel verscheen de STRALENDE glimlach van de jonge Indische knager op het scherm. Het video-gesprek kon beginnen!

VIDEOGESPREK

Bij een **videoconferentie** of een videogesprek kunnen twee of meer personen **waar ook ter wereld** elkaar op een computer-scherm zien en met elkaar praten. Alle deelnemers aan het gesprek kunnen ook tegelijkertijd aan teksten, afbeeldingen of video's werken.

We moeten Alaska redden!

‘Willen jullie weten waarom we de grote bijeenkomst in Barrow, de meest noordelijke stad van ALASKA, willen houden?’ vroeg ASHVIN. ‘Dat is niet moeilijk: Kanuk, die ons in dat gebied vertegenwoordigt, heeft een alarmerend rapport uitgebracht over de situatie van de gletsjers!’

Ook Colette en Violet waren nu één en al oor.

‘De OPWARMING van de planeet veroorzaakt ernstige problemen, vooral voor het ijsdek van de pool, dat langzaam maar zeker wegsmelt! Daar komt nog bij dat Kanuks APPARATUUR onverwachte schokken van het pakijs heeft geregistreerd, wat betekent dat grote ijsbergen losraken van de ijsvlakte, alsof het zomer is!'

Bij het horen van deze woorden keken de Thea Sisters elkaar veelbetekenend aan: ze wilden alle vijf met eigen ogen zien wat er op de NOORDPOOL aan de poot was.

Na afloop van het gesprek met Ashvin kwam Violet met een voorstel: 'Ik heb een idee: we gaan met z'n *allen* naar Barrow en maken daar onze reportage voor de wedstrijd. In plaats van BEELDEN VAN WALVISEILAND, sturen wij BEELDEN UIT ALASKA in!'

'Jààààààààààààààààà!' gilde Pamela, terwijl zij en Violet elkaar een high five gaven. Ze waren stuk voor stuk laaiend enthousiast over het idee om naar het hoge Noorden te vertrekken.

NOORDPOOLCIRKEL

Op het noordelijke halfrond gebeurt er boven een bepaalde lijn, de noordpoolcirkel, iets vreemds. Tussen deze cirkel en de Noordpool gaat de zon rond 21 juni een paar dagen niet meer onder. Het blijft dus de hele tijd licht!
Hoe meer je naar boven gaat (naar het noorden), hoe langer deze pooldag duurt. Op de **poolcirkel** duurt dit zo'n 24 uur; op de Noordpool zelf duurt het wel zes maanden! Ze noemen dit middernachtzon. Rond 21 december gebeurt het precies andersom: dan komt de zon juist een paar nachten niet op en blijft het dus een hele tijd donker.

PAKIJS

Pakijs is ijs dat op zee ontstaat als het zeewater door de **superlage temperaturen** bevriest. Grote stukken ijs schuiven over elkaar heen en vormen zo een enorme berg ijs: pakijs. Het Arctische pakijs (bij de Noordpool) wordt **pack** genoemd, het Antarctische pakijs (bij de Zuidpool) heet **barrière.**

IJSBERGEN

Een **ijsberg** is een groot stuk ijs dat van een gletsjer of een ijskap is afgebroken en in zee blijft drijven.
Omdat ijs een lagere dichtheid heeft dan water (water dat bevriest zet namelijk uit), blijven ijsbergen in het zeewater drijven. Het deel onder water is **7 à 10 keer groter** dan het deel boven water. Door de erosie, de afslijting door de wind, de golven en de zonnewarmte, worden de ijsbergen steeds kleiner en verdwijnen uiteindelijk. Maar dit proces kan wel jaren duren.
De enorme ijsmassa's (vooral het deel dat zich onder water bevindt) vormen een ernstige bedreiging voor scheepsrompen.

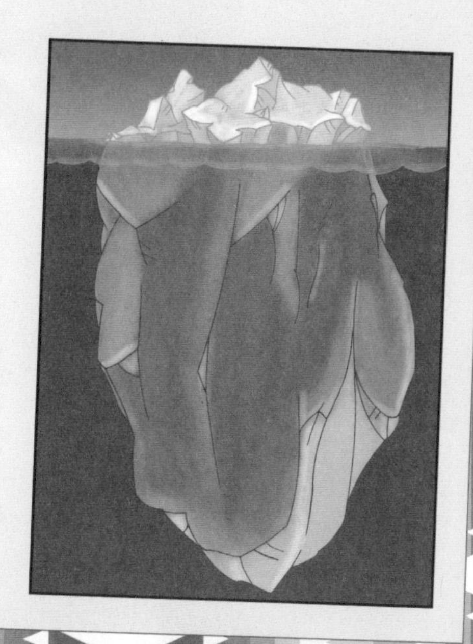

Zelfs Colette was bereid om haar tere **huidje** op het spel te zetten.
'En de toestemming?!' vroeg Paulina zich af.
'Denken jullie dat de *rector* ons *alle vijf* toestemming geeft om te vertrekken?'

Wat moeten we lang wachten!

De vijf MUIZINNEN stonden inmiddels al een tijdje vol spanning te wachten voor de gesloten deur van het kantoor van de rector. Zou *Octavius Encyclopedius De Topis* hen nogmaals toestaan om midden in het schooljaar weg te gaan?

De **THEA SISTERS** betwijfelden het. Daarom hadden ze mevrouw Geitenkaas van tevoren om steun en advies gevraagd.
'Beelden uit Alaska? **Muizenissig!**' had de *lerares* uitgeroepen, toen ze haar over hun IDEE hadden verteld.
Gijsje Geitenkaas was niet alleen een expert op het gebied van communicatie (het vak waarin ze lesgaf): ze was ook bijzonder in het MILIEU geïnteresseerd. Ze had direct begrepen hoe belangrijk de reis was die de muizinnen wilden maken. Een reportage over Alaska leek haar een prima gelegenheid om de aandacht op de smeltende ijskap te vestigen! Ze had daarom aangeboden met de rector te gaan praten om hun plannen **toe te lichten** en te vragen of ze hiervoor tien dagen weg mochten.
De tijd verstreek en de deur van het kantoor van de rector bleef **dicht**, **gesloten**, **VERGRENDELD!**

Op een gegeven moment hield Pam het niet meer uit en drukte ze, hoewel ze wist dat het niet netjes was, haar oor tegen de deur om te luisteren.

Violet gaf haar meteen op haar kop: **'WAT DOE JE NOU? DAT MAG HELEMAAL NIET!'**

Precies op dat moment vloog de deur wijd open waardoor Pamela rood van schaamte op de grond viel.

De rector keek haar aan en zei met een IRONISCH lachje: 'Pamela, mijn deur valt heus niet om, dus je hoeft hem niet te ondersteunen...'

Pamela stond op, **PAARS** van schaamte.

De rector VERVOLGDE: 'Ik wil jullie laten weten dat jullie... *ook deze keer* weg mogen!'

'JOEPIE!' juichten de Thea Sisters.

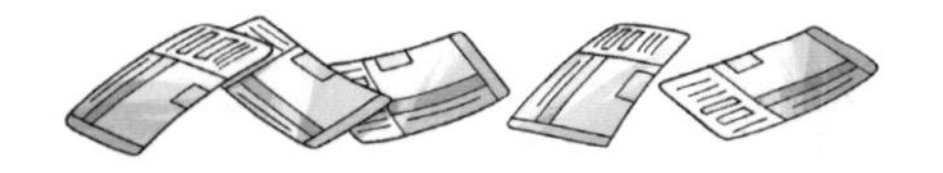

Koers naar Anchorage

De reis die de **THEA SISTERS** voor de boeg hadden was één van de langste en **INGEWIKKELDSTE** die ze ooit gemaakt hadden.
Bij het KRIEKEN van de dag namen ze de vleugelboot naar Muizeneiland. Vervolgens namen ze een **TAXI** naar het vliegveld.

Na een superlange vlucht bereikten ze NEW YORK. Daar gingen ze naar een ander vliegveld waar ze het vliegtuig naar Seattle, aan de Stille Oceaan, namen.
In Seattle stapten ze over op het

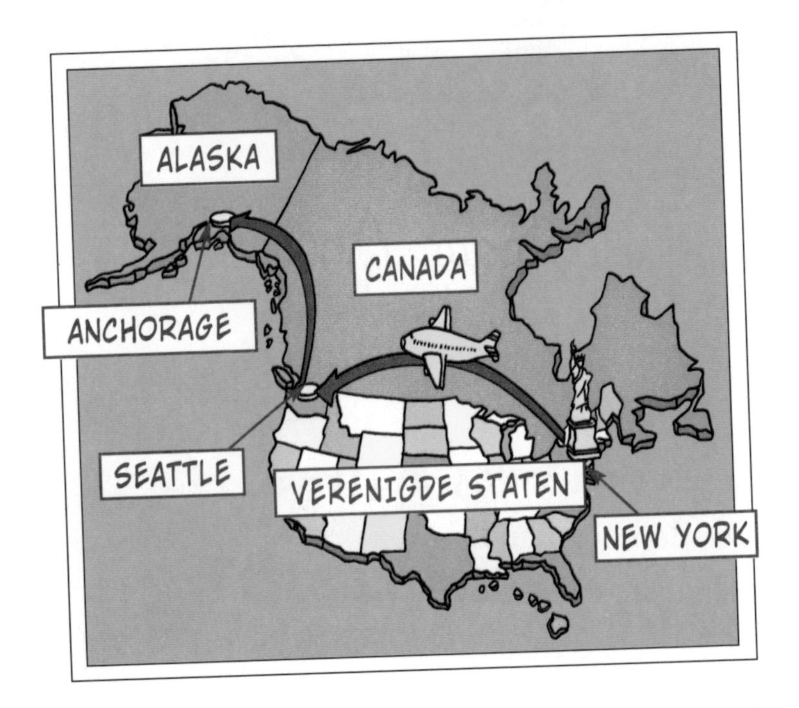

vliegtuig dat hen naar Anchorage, in ALASKA, zou brengen! Een reis van in totaal **37** uur!

Colette, die tijdens de laatste vlucht bij het raampje had gezeten, zag als eerste de schittering van de zee en de fjordenkust.

'**KIJK!**' riep ze.

Violet keek snel in haar gids: 'We ***VLIEGEN*** over het Kenai schiereiland!

Anchorage ligt iets verder naar het noorden, aan het uiteinde van de baai die Cook Inlet heet.'

Het duurde inderdaad niet lang of ze zagen een uitgestrekt gebied met **GEBOUWEN** en **WOLKENKRABBERS**. Het lag ingesloten tussen de zee, de **bossen** en de bergen: ze waren in Anchorage aangekomen.

> **ANCHORAGE**
>
> Anchorage (wat ankerplaats betekent) werd in 1915 gesticht. Het is vandaag de dag de grootste stad van Alaska en telt meer dan 270.000 inwoners. De stad moet het vooral hebben van de inkomsten uit de winning van aardolie, aardgas en van de visserij.

Nicky was verbaasd over het mooie en afwisselende uitzicht. 'Wat een ONGELOFELIJKE plek!'

Pam merkte op: 'Het lijkt wel of ze een hypermoderne stad in het **GROOTSTE** natuurpark ter wereld hebben gebouwd!'

Na in Anchorage geland te zijn, begaven de muizinnen zich naar het ***ARCTIC MOUSE HOSTEL***.

Daar zouden alle vertegenwoordigers van de

Groene Muizen elkaar treffen, vóór ze verder gingen naar Barrow.
Het eerste wat de Thea Sisters zagen toen ze aankwamen, was een enorm groen spandoek met het opschrift: **WELKOM GROENE MUIZEN!**

GESCHIEDENIS VAN ALASKA

Op aandringen van minister van buitenlandse zaken **William Seward** kochten de Amerikanen in 1867 Alaska van Rusland, voor 7.200.000 dollar (minder dan een cent per hectare!). Ondanks de lage prijs die er voor het land betaald werd, viel de aankoop niet in goede aarde bij de Amerikanen, die Alaska beschouwden als een waardeloze ijsvlakte. Alaska werd zelfs spottend "Seward's folly" (Sewards dwaasheid) of "Seward's Icebox" (Sewards ijskast) genoemd. Noch de Amerikanen, noch de Russen konden toen weten dat er later **aardolie, gas, steenkool, goud** en andere waardevolle metalen uit die ijskast gewonnen zouden worden!

Vrienden uit de hele wereld

Nicky en Paulina werden meteen omringd door de andere Groene Muizen, die het geweldig vonden om hen terug te zien. Het was een soort familiereünie: één grote, uit de hele wereld afkomstige, familie!
Nicky en Paulina stelden Pamela, Violet en Colette voor, die ook meteen enthousiast in de groep werden opgenomen.
De temperatuur was inmiddels tot heel wat graden onder nul gedaald, maar in de jeugdherberg heerste een WARME sfeer.
De Thea Sisters zaten met meer dan veertig Groene Muizen rond een lange tafel.
Iedereen zat opgewekt achter een bord soep

WELKOM GROENE MUIZEN
1 FLEUR
2 RENATO
3 IVAN
4 ASHVIN

8
7
6 YOSHUA
8 CANDY
5 KEMAL
7 YUKO

en er stonden schalen met *kaasbroodjes* op tafel, maar niemand had veel oog voor het eten. De jonge knagers hadden het veel te DRUK met praten, informatie uitwisselen en naar elkaars verhalen luisteren over hun reizen en avonturen in alle uithoeken van de wereld. Ashvin stond de hele tijd in het middelpunt van de belangstelling: hij was duidelijk erg populair, vooral bij de *Groene Muizinnen*...

Nicky en Paulina hadden METEEN een plekje naast hem bemachtigd. De twee vriendinnen hadden elkaar een IJZIGE blik toegeworpen: zou er soms jaloezie in het spel zijn?! De andere MUIZINNEN van de club waren druk met hem in gesprek.
Colette bekeek hem NIEUWSGIERIG.
De blonde Thea Sister mocht trouwens ook niet over belangstelling klagen: de mannelijke Groene Muizen vochten om haar aandacht.

Groene Muizen

FAUNA

Alaska is nog steeds grotendeels een wildernis.
Er leven **elanden, rendieren, kariboes, berggeiten, schapen, beren en wolven.** Het pakijs en de zeeën rondom worden bevolkt door **zeehonden, dolfijnen, walvissen, zeeleeuwen, otters en walvissen.**
In de zomer zwemmen duizenden **wilde zalmen** de rivieren op om hun eieren te deponeren. Hier worden deze vissen gelukkig niet met uitsterven bedreigd, zoals in vele andere gebieden.
Een van de vele vogelsoorten die hier rondvliegen is de **Noord-Amerikaanse adelaar.** De spanwijdte van zijn vleugels kan wel twee meter zijn.

Eindelijk in Barrow!

De volgende ochtend stapten de Groene Muizen op het lijntoestel dat hen naar Barrow zou brengen, een Boeing 737.

'Ga jij ook voor het eerst naar de ALASKAANSE afdeling van de Groene Muizen?' vroeg Nicky aan Ashvin, om een gesprek te beginnen.

'Ja. Die afdeling bestaat pas een jaar en heeft nog maar één lid...' zei hij LACHEND.

'Maar Kanuk is een **FENOMEEN!** Hij heeft alles voor de bijeenkomst georganiseerd.

BARROW

BARROW ligt aan de Noordelijke IJszee. Van half mei tot begin augustus gaat de zon niet onder en van half november tot begin februari komt zij niet op: de hemel wordt dan slechts verlicht door de maan, het schemerlicht of het kleurige **noorderlicht**.

Hij heeft ons zelfs het hotel van zijn ouders ter beschikking gesteld!'
'Een heel hotel alleen voor ons?!' vroeg Colette, die bij hen was gaan zitten.
'Het is niet zo groot,' antwoordde hij, zich naar Colette kerend, 'en verder is het toeristenseizoen in Barrow allang voorbij!'
Nicky STOORDE zich een beetje aan Colette's aanwezigheid. Moet ze nou PRECIES Ashvin hebben, terwijl de aanbidders voor haar in de rij staan? dacht ze.
Ze DAALDEN midden op de dag de vliegtuigtrap af, maar buiten was het praktisch... NACHT!
Alleen aan de horizon schemerde het. Opeens zagen ze het noorderlicht aan de hemel verschijnen, alsof het hen wilde verwelkomen. Alle Groene Muizen keken er vol bewondering naar.

AURORA BOREALIS

Noorderlicht ontstaat door magnetische deeltjes van de zon die in onze dampkring komen en daar licht gaan geven. De lucht krijgt dan een mooie gekleurde gloed. De kleuren van het noorderlicht verschillen nogal, maar je ziet vooral veel groen, soms ook rood en paars. De lange strepen bewegen soms heel fel, alsof het licht danst.

Niet te lang, want een ijzige wind dwong hen om snel verder te lopen. De NATTE SNEEUW prikte ieders wangen met dunne IJSNAALDJES. Zelfs Colette was blij dat haar mooie haar onder een wollen muts "verstikt" zat, zoals ze zelf zei. Over één ding waren ze het allemaal eens: de jacks en **BERGSCHOENEN** die ze aan hadden waren niet warm genoeg voor een dergelijke IJSKOU!

KANUK KRILAUT

'*Mukluk, akgaak* en *parka*! Dat heb je nodig in Alaska!' waren de woorden waarmee Kanuk hen begroette. De knager wees naar een winkel in de hal van het vliegveld waar ze "Noordpoolbestendige" kleding verkochten.

'Wat ze hier verkopen ziet er hetzelfde uit als onze traditionele kleding, maar is wel gemaakt met supermoderne, HIGHTECH stoffen. Perfect om je te BESCHERMEN tegen de ijskou!' legde Kanuk hun uit.
'Ze zijn beeldig!' riep Nicky uit, terwijl ze de gekleurde figuren op haar *akgaak,* haar wanten, bewonderde.
'...en ZACHT!' voegde Pamela eraan toe, die een *parka* aan het passen was.
'...en WARM!' besloot Violet, die dankzij de *mukluk* (laarzen) het bloed weer door haar van de kou verstijfde POTEN voelde stromen.
Toen iedereen nieuwe buitenkleding had uitgezocht, riep Kanuk: 'Oké! Nu zijn jullie klaar voor de poolwinter! Aan jullie de keus tussen een jeep of een SNEEUWSCOOTER.'
Bij het woordje "sneeuwscooter" schoot Pamela als een RAKET uit de winkel en

PARKA
(GEWATTEERDE WINTERJAS)

AKGAAK
(WANTEN)

MUKLUK
(LAARZEN)

SPRONG op het zadel van de grootste sneeuwscooter die er op de parkeerplaats stond.

'Mag ik hem besturen, please?! PLEASE, PLEASE, PLEASE!'

Kanuk keek haar geamuiseerd aan en begon toen hard te lachen.

P

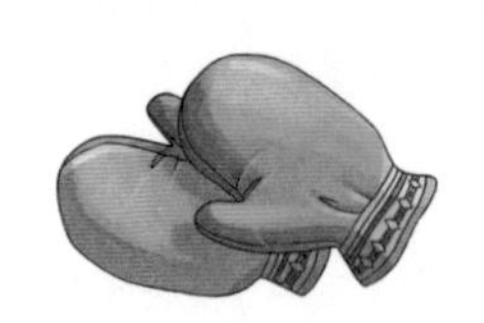

Tujukmivik*
Krilaut

Het hotel van Kanuks ouders bevond zich in een buitenwijk van Barrow en lag nogal afgelegen.
De groep vrienden bewoog zich in het schemerlicht snel over de grijze, bijna verlaten

* hotel in Inuit taal

WEGEN. De huizen leken allemaal hetzelfde: laag en zonder enige versiering. Ondanks de **WARME** kleding die ze hadden gekocht, hadden de *Groene Muizen* veel last van de ijzige wind en sneeuw. Ze waren absoluut niet gewend aan dit barre weer.
De enige die van de tocht **GENOOT** was Pamela. Ze **SCHEURDE** vol gas weg op haar sneeuwscooter en bestuurde hem alsof ze nooit iets anders had gedaan.
Als Kanuk niet was gestopt, had niemand

hotel Krilaut tussen de andere houten huizen opgemerkt.
Kanuk las de verbazing op de snuiten van zijn vrienden en vroeg: 'Teleurgesteld?! Hadden jullie hogere gebouwen verwacht? Jullie moeten weten dat onze huizen zo laag zijn omdat de grond volledig BEVROREN is. We moeten ze op palen bouwen, dus mogen ze niet te ZWAAR zijn!'
Na dit gezegd te hebben, opende hij de deur van het hotel en... de nieuwelingen werden verwelkomd door een regenboog van kleuren! Zo koud en grijs als het hotel er van buiten uitzag, zo WARM en gezellig was het van binnen. ZACHTE vloerbedekking op de grond, prachtige kleden, HOUT op de muren,

PERMAFROST

Permafrost betekent altijd bevroren. In heel koude gebieden ontdooit de grond nooit helemaal. De bodem is tot op grote diepte bevroren en alleen de bovenste laag van het ijs smelt gedeeltelijk als de temperatuur stijgt. Daarom moeten de huizen op palen worden gebouwd, die diep in het ijs worden geslagen.

comfortabele banken, maar vooral veel, ontzettend veel VEELKLEURIGE schilderijen!
'Wat mooi!' riep Nicky uit, naar het grootste schilderij lopend. 'Wie heeft dat geschilderd?'
'Mijn opa,' antwoordde Kanuk. 'Hij is een kunstenaar en mijn broer Pamik heeft zijn talent geërfd. Het hotel hangt vol met hun werken!'
Kanuks moeder, jongere broer en opa kwamen de jonge knagers LACHEND tegemoet. Ze verwelkomden hen met potten

hete thee. Ze kregen een WARME ontvangst, helemaal volgens INUIT traditie: hartelijke omhelzingen en neuszoenen!

BEGROETINGEN

Niet iedereen begroet elkaar op dezelfde manier. Wij kennen maar enkele van alle begroetingen die er op de wereld bestaan. Wetenschappers op het gebied van de communicatie beschrijven wel **25 manieren** om elkaar gedag te zeggen. De Inuit (Eskimo's) wrijven bijvoorbeeld met de neuzen tegen elkaar.

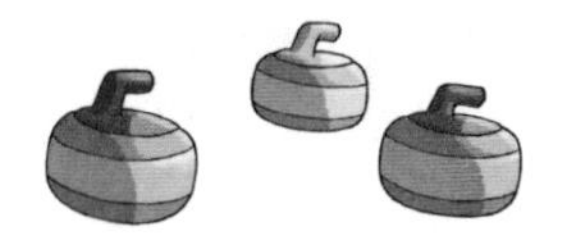

Inuit feest

De eerste middag brachten de **THEA SISTERS** en de Groene Muizen feestvierend op het hotelplein door, om elkaar beter te leren kennen. Kanuk bleek een prima organisator te zijn want, samen met zijn broer Pamik, zette hij binnen de kortste keren een Inuit *feest* op poten.

IEDEREEN WAS ENTHOUSIAST.

Nicky en Pamela speelden samen met de Schreeuwende IJsco's, een **ROCKBAND** van muizenissige knagers! Violet, die alleen van klassieke muziek hield, kon het kennelijk niet zo *waarderen*...

CURLING

Curling is een teamsport (2 x 4 spelers), een soort jeu de boules op het ijs. Er wordt gespeeld met zware, schijfvormige granieten stenen met een handvat. Bij het loslaten van een steen kun je er een draaiende beweging aan geven. Dit heet een curl (vandaar de naam "curling"). De spelers van elk team hebben ook een bezem met een wrijfblok om het ijs voor de steen te vegen. Zo kunnen ze de baan die de steen aflegt beïnvloeden en verlengen indien nodig.

Paulina deed mee aan een onstuimig potje curling, in Ashvins TEAM. Pamela werd tweede in de sneeuwscooterrace. Ze arriveerde een paar seconden ná Pamik maar vóór Ivan en zijn vriend Erik. Op een bepaald moment kwam Kanuks opa eraan. Hij sleepte een groot kleed

achter zich aan. Waar kon zo'n **ZWAAR**, groot en... rond kleed voor dienen?
Hij koos een paar stevige **STEVIGE** knagers uit en zei hun het kleed goed strak vast te houden. 'Dit heet een *nalakatuk,* wat "trampolinekleed" betekent. In bevroren gebieden, waar geen bomen of heuvels zijn, gebruikten de INUIT zulke kleden als trampolines om tijdens het springen heel ver te kunnen KIJKEN!' De Thea Sisters keken elkaar vragend aan. De oude knager ging verder: 'Ook nu nog worden de kleden zo

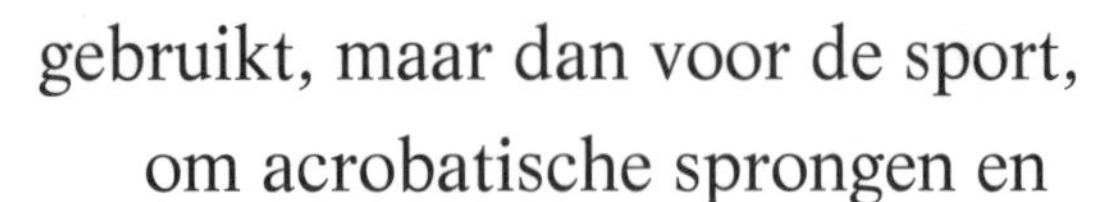

gebruikt, maar dan voor de sport, om acrobatische sprongen en koprollen in de **lucht** te maken. Wie wil?'

Nicky en Pamela lieten het zich geen twee keer zeggen en klommen als **EERSTEN** op de *nalakatuk*.

'YOH! YOH! YOH!' moedigde iedereen hen aan, terwijl ze in de lucht ronddraaiden. Colette schreeuwde met de anderen mee, tot Ashvin haar poot pakte: 'Zullen wij het ook eens proberen?' vroeg hij.
Colette was een beetje BANG, maar ze wilde zich niet laten kennen.
In een OOGWENK zweefde ze vier meter hoog in de lucht!
Paulina en Nicky ZAGEN het en wisselden een blik van verstandhouding. Was er nog steeds jaloezie in het spel?

Wat is er met Ernanek gebeurd?

Het feest was een groot succes, maar toch was Kanuk... **ONRUSTIG.**
Terwijl de anderen ontspannen plezier maakten, tuurde Kanuk voortdurend de **HORIZON** af. Violet merkte het en vroeg bezorgd: 'Is er iets, Kanuk? Ben je bang dat er slecht weer op komst is?'
Hij schrok op uit zijn gedachten: 'Nee, dat is het niet... Ik zie hem alleen niet aankomen. En toch had hij het beloofd!'
'Sorry, maar *over wie* heb je het?' vroeg Violet.
Kanuks OPA onderbrak hen: 'Kanuk, je weet heel goed dat Ernanek een vreselijke hekel heeft aan de stad! Hoe kun je nou denken dat

hij hier komt als er zoveel knagers zijn? Hij is een *eenling* en leeft het liefst in volledige vrijheid, alleen met zijn honden. Hij is altijd met zijn slee ONDERWEG en als hij vindt dat het tijd is om uit te rusten, bouwt hij een IGLO!'

'Maar hij heeft het me beloofd!' hield Kanuk KOPPIG vol. Vervolgens wendde hij zich tot Violet: 'Ernanek is een goede vriend van mijn opa. Ik ben erg aan hem gehecht... Hij had tegen mij gezegd dat hij met de Groene Muizen wilde praten over de veranderingen die op de Noordpool plaatsvinden. En Ernanek houdt zich altijd aan zijn woord!'

IGLOO

De igloo (in het Nederlands schrijf je iglo) is een van blokken sneeuw gemaakt onderkomen, meestal in de vorm van een koepel. In het Inuktitut betekent het woord *igloo* "huis". De echte sneeuwhut noemen ze **igluvigaq.**

Ook Kanuks opa KEEK nu bezorgd naar de horizon. De hemel was inmiddels helemaal DONKER: het laatste schemerlicht was verdwenen.

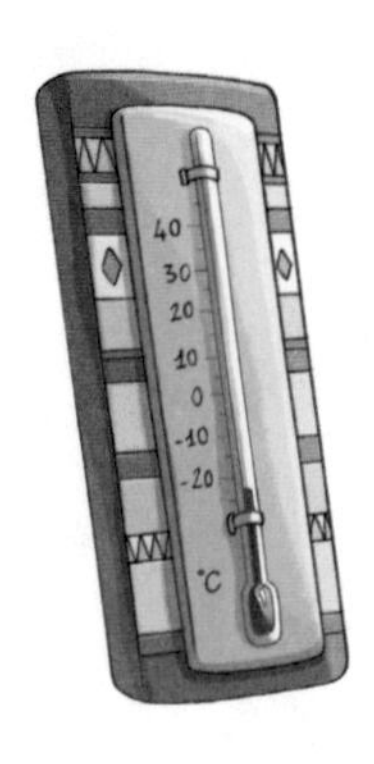

'Als dat zo is, dan moet hem iets zijn overkomen!' zei Kanuks opa.
Het kwik op de thermometer was tot een bijna **ONDRAAGLIJK** lage temperatuur gedaald. De Thea Sisters en de Groene Muizen stroomden rumoerig het hotel binnen.
Iedereen was in opperbeste stemming door het onverwachte en opwindende feest. Vrolijk lachten ze aan een stuk door en namen elkaar in de maling totdat...
'STILTE!' donderde Kanuks stem door de ruimte. Iedereen hield verrast zijn mond.
'Luister...' zei hij vervolgens op FLUISTERTOON, terwijl hij zijn oor tegen het raam hield. Niemand hoorde iets.
Maar Kanuk ***RENDE*** naar de deur en gooide hem wagenwijd open. Behalve het gieren van de wind was veraf het gejank van een hond te horen! Woe-oe-oe!

Kanuk rende naar buiten, de ijskoude poolnacht in.

'Kimmik!'

'WOEF! WOEF! WOEF!' was het antwoord.

Kimmik was een prachtige sledehond, een Alaskan Malamute met **WOLVENBLOED.**

Kanuk legde de anderen uit dat het de leidershond van Ernaneks slee was.

Waarom was hij **ALLEEN** gekomen?!

Groene Muizen

DE ALASKAN MALAMUTE

De Alaskan Malamute is een stevige, gespierde hond die gewend is aan extreme omstandigheden en grote inspanningen. Het is een trouw, toegewijd dier met een hoog ontwikkeld instinct. Zijn oorsprong is eeuwenoud: het kan zijn dat dit soort honden met de Aziatische stammen zijn meegekomen die duizenden jaren geleden de **Beringstraat** overstaken.

TIP

Kanuk pakte hem bij zijn halsband en nam hem mee naar binnen, het **WARME** hotel in. De arme hond leek uitgeput. De knager gebaarde zijn vrienden niet al te dichtbij te komen om het dier niet af te **SCHRIKKEN**. Hij zette hem op een deken, gaf hem te ETEN en te drinken en masseerde hem met een wollen doek. Op die manier **droogde** en verwarmde hij de hond en stelde hem tegelijkertijd op zijn gemak.

Daarna vroeg hij: 'Kimmik, waar is je baasje? Waar is de slee met de andere honden?'
Kimmik wees met zijn kop naar de buitendeur en jankte luid.

Woe-oe-oe-oe-oe-oe-oe-!

Wat kan er met Ernanek zijn gebeurd?
En waarom is zijn hond alleen gekomen?

Kimmik, de leidershond

Kanuks OPA ging bezorgd verder: 'Ernanek is vast in **GEVAAR!** Het sturen van zijn leidershond is duidelijk een verzoek om hulp!'
'Je hebt gelijk, opa!' zei Kanuk. 'Ik ga hem zoeken. We hebben geen tijd te verliezen!'
'Maar het is twintig graden onder nul daarbuiten!' merkte een knager op. Hij kon kennelijk maar moeilijk aan de KOU wennen. Zelfs in het hotel had hij zijn parka aangehouden en alleen al de gedachte aan de vrieskou deed hem rillen. Eerlijk gezegd bevroor iedereen bij de gedachte aan een tochtje in de open lucht...
'Daarom moeten we hem juíst als de gesmeerde ***BLIKSEM*** gaan zoeken!' zei Kanuk vastberaden.

Ashvin bood zich meteen aan als vrijwilliger: 'Ik ga met je mee! In het **DONKER** zien vier ogen meer dan twee!'
'Op ons kun je ook rekenen!' zei Pamela, uit naam van de **THEA SISTERS**.
Ze waren absoluut niet van plan om in het hotel te blijven wachten. Alleen Colette trok zich tegen WIL EN DANK terug: *'Hatsjie!* Muizinnen, ik ben bang dat ik deze keer echt niet mee kan... Tsjie! Tsjie! Tsjie! Ik heb vast kou gevat...'

Violet stelde haar gerust: 'Maak je maar geen zorgen, Coco. Je kunt veel beter binnen blijven. Buiten raak je tot op je BOTTEN verkleumd!'
'Hebben jullie enig idee waar jullie hem moeten zoeken?' vroeg Fleur, de sympathieke Nederlandse muizin.
'Kimmik zal ons naar hem toebrengen,' antwoordde Kanuk. 'Zie je? Hij is al helemaal bijgekomen en POPELT om naar Ernanek te gaan!'
Het was waar! Zodra hij weer op temperatuur was gekomen en gegeten en gedronken had, was de hond OPGESPRONGEN. Hij stond ongeduldig met zijn poot tegen de deur te krabben.
Kanuk bond zijn span honden voor de slee.
Kimmik liet hij vrij zodat het dier hen door de NACHT kon gidsen.
Ashvin en Pamela gingen allebei aan het stuur van een sneeuwscooter zitten.
Nicky en Paulina VOCHTEN om het plekje

bij Ashvin achterop. Nicky won, en Paulina ging achter Pam zitten, haar vriendin scheef AANKIJKEND. Hun stille strijd was Violet niet ONTGAAN. Ze hield haar vriendinnen al in de gaten sinds ze Ashvin in Anchorage hadden ontmoet. De jaloerse blikken die Nicky en Paulina elkaar, en ook Colette, toewierpen verontrustten haar. Violet nam plaats op Kanuks slee, onder een warme deken. BEZORGD volgde ze de twee sneeuwscooters met haar ogen: zou de vriendschap tussen de THEA SISTERS op het spel staan door jaloezie… om een coole knager?!

SPAN

De GROEP honden die een slee voorttrekt wordt een span genoemd. Eén van de honden is de baas over de anderen omdat hij meer ervaring heeft en sterker en intelligenter is. Hij is de leider van de groep en wordt als de **leidershond** van de slee ingezet. Hij wordt omringd door vrouwtjeshonden en gevolgd door de minder gehoorzame honden, die achteraan lopen.
De bestuurder van de slee wordt de **musher** genoemd: hij roept de bevelen, zoals **mush** (= vooruit!), op verschillende tonen, of klapt met de zweep in de lucht. Musher komt van het Franse bevel marchez! (= loop!) dat door de Franse kolonisten in Canada werd gebruikt.

Een explosie in de nacht

Ze vertrokken in het **PIKKEDONKER** van de poolnacht en waren al snel uit het zicht **VERDWENEN** van de rest van de groep. Het geblaf van de honden en het **GERONK** van de scooters klonk steeds verder weg.

WOEF WAF WAF WOEF WOEF WAF!!!

VROEMMMMMMMMMMMMMMMMMMMMMM...

Kimmik **RENDE** vooruit, met een snelle en regelmatige pas, ongeduldig om zijn baasje Ernanek terug te vinden.
Die hond was een ware **KAMPIOEN!**

Ook het span honden dat Kanuks slee trok, voerde ENERGIEK het tempo op.
De echte race voltrok zich echter tussen de twee SNEEUWSCOOTERS: Pamela was vol gas weggescheurd, en Ashvin wilde niet voor haar onderdoen. Als zij een HEUVELTJE nam, liet hij zijn scooter letterlijk over het volgende heuveltje vliegen.
Nicky greep zich aan hem vast, maar niet om dichterbij hem te zijn: ze was DOODSBANG om van de scooter afgeslingerd te worden!
Paulina zag dat echter als een TOENADERINGSPOGING en spoorde Pamela aan om bij hen in de buurt te blijven: 'Verlies ze niet uit het oog!'
Maar eigenlijk bedoelde ze: Ik wil niet dat Nicky en Ashvin alleen zijn!
Had ze maar geweten wat er in werkelijkheid door NICKY'S hoofd ging!
Deze laatste was er namelijk niet meer zo

zeker van dat het een goed idee was geweest om bij Ashvin achterop te gaan zitten.
De scooters maakten een **OORVERDOVEND** lawaai, maar op een gegeven moment dacht ze Ashvin te horen schreeuwen: 'WOW! Wat een power!'
Hoe kon hij zich nu vermaken op een moment als dit? Nicky geloofde haar oren niet.
Ze vond Ashvin opeens niet meer zo *interessant* . . .
Maar haar gedachten werden onderbroken door een helse klap.

De bevroren grond schudde, en Nicky's hart SLOEG OVER van schrik. Ook Pamela schrok zich een hoedje. Het scheelde niet veel of ze had de controle over haar scooter verloren.

Zelfs de honden renden niet meer.
'W-wat was dat?!' stotterde Pamela.
Kanuk zag de SCHEUREN in het ijs en
antwoordde verontrust: 'Een explosie!'

Hoe valt een explosie midden in de poolnacht te verklaren?

Een lange discussie

De in het hotel gebleven *Groene Muizen* probeerden ondertussen de tijd te doden.

Tsjie! Tsjie!

Colette blééf niezen. Pamik bracht haar een kop met een warm, stinkend **brouwseltje** op basis van visolie en gedroogde kruiden van de toendra.

'Dit is een waar wondermiddel! Mijn moeder maakt het altijd als we **VERKOUDEN** zijn. Je zult zien dat je verkoudheid morgen over is!' verzekerde Pamik haar.

Colette probeerde ervoor te bedanken: ‘Dank je! *B*aar het gaat al beter *b*et *b*e… Tsjie!’

Toen Pamik bleef aandringen, gaf ze toe. Ze kneep haar neus dicht en sloeg het brouwsel in één teug achterover. Ze sperde haar OGEN wijd open en bedekte haar snuit met haar poot. Ze had nog nooit in haar leven iets zo MISSELIJKMAKEND smerigs geproefd!

Fleur staarde haar aan en zei: ‘Wat zie je BLEEK! Voel je je wel goed, Colette?!’

‘*D*ee… ikvoel*b*ehele*b*aal*d*ietgoed…’

Colette begon te hoesten en iedereen om haar heen begon te LACHEN.

Iedereen begon gezellig met elkaar te praten over van alles en nog wat: het eten, het milieu,

de COMPUTER, FILMS, SPORT...
Yuko begon uit te weiden over Ashvins kwaliteiten: 'Ashvin is een **KAMPIOEN** in bijna alle sporten!'
'Zoals?' vroeg Ivan, een beetje *geïrriteerd*.
'Ik wed dat hij nog nooit aan een echte LANGLAUFMARATHON heeft meegedaan. En volgens mij heeft Ashvin ook nog nooit een medaille gewonnen!'

Ronaldo, de Mexicaanse knager, verklaarde trots: 'Over medailles gesproken, ik VERSLA iedereen op de trampoline!'
'En ik heb de HOOGSTE Alpentoppen beklommen,' zei Renato, de Italiaan die niet voor de Mexicaan onder wilde doen.
'Ik heb het Kanaal overgezwommen!'
'Ik heb de zwarte band in karate!'
'Ik doe aan parasailing!'
Kortom, iedereen had wel iets om over op te scheppen.
Op een gegeven moment riep de jonge Pamik, die ook bij hen was gebleven: 'Ik ben deze zomer een keer wezen vissen in een echte UMIAK!'
Ze draaiden zich allemaal naar hem om.
'UMIAK?!' vroegen de Groene Muizen in koor. Daar hadden ze nog nooit van gehoord.
Pamik wees naar een schilderij aan de muur dat

vissers op zee, tussen de IJSSCHOTSEN, uitbeeldde.

'De originele Inuit boot! Mijn OPA heeft er één. En het is nog steeds dezelfde die hij gebruikte toen hij jong was. Willen jullie hem zien?!'

Een verhaal uit het verleden

Pamiks opa schuddc weifelend zijn kop. Hij was erg aan zijn *umiak* verknocht en had er moeite mee om hem als een museumstuk te laten bewonderen.

Maar de NIEUWSGIERIGE en ENTHOUSIASTE blikken van de knagers deden hem al snel van gedachten veranderen.

'Ik moet jullie wel eerst het een en ander uitleggen,' zei hij. 'Zo op het eerste gezicht lijkt het gewoon een oude boot. Om te begrijpen wat een *umiak* voor ons

Inuit betekent, moet je er met je hart naar kijken.
OPA pakte een oud fotoalbum en begon erin te bladeren.
'Dit is het LAND van de Inuit. Een land van IJS: geen velden om iets op te verbouwen, geen bomen, dus is het moeilijk om aan HOUT te komen om huizen en boten van te maken… of om een VUURTJE te stoken!'

WE MOESTEN IJS GEBRUIKEN OM ONZE HUIZEN TE BOUWEN…

WE MOESTEN ALLES MET ONZE POTEN DOEN, EN IEDEREEN DROEG ZIJN STEENTJE BIJ...

Hij pauzeerde even en vervolgde toen: 'Jullie zijn hier met het **vliegtuig** gekomen, maar in mijn tijd kwam er hier *maar één* schip. Alles wat er met de boot **AANKWAM** was kostbaar en peperduur, omdat er geen andere manieren waren om iets hier te krijgen! Als het schip wegvoer, moesten we een heel jaar wachten voor we het weer terugzagen!'

De jonge knagers luisterden ademloos toe. Colette kon zich niet voorstellen hoe je kon overleven in een wereld zonder fruit, zonder BLOEMEN... maar vooral zonder geurtjes en crèmes!

Pamiks opa ging verder: ‘We hadden noch SNEEUWSCOOTERS noch motorboten. We moesten alles met de poot doen, met het weinige materiaal dat we hier konden vinden! En toch heeft mijn volk eeuwenlang zo geleefd, van de jacht en de visserij!’

OPA wees naar het grote schilderij aan de muur en zei: ‘Om de ZEE op te kunnen heb je boten nodig. Maar we hadden bijna geen HOUT om boten van te maken! Daarom hebben we de *umiak* uitgevonden!’

Op dit punt stond hij op en gebaarde de jonge knagers hem te volgen. Hij bracht hen naar een schuur die door een lange gang met het hotel was verbonden.

OM DE ZEE OP TE KUNNEN HADDEN WE BOTEN NODIG, EN DAAROM HEBBEN WE DE UMIAK UITGEVONDEN!

In het midden van de ruimte stond, op twee staanders, het houten GERAAMTE van een kleine boot, waar aan elkaar genaaide huiden overheen waren gespannen.
'Dat is 'm!' zei de oude ESKIMO, terwijl hij zijn poot *liefdevol* over de kiel liet glijden.
Ivan bekeek het vaartuig aandachtig:

'Ehhh?!? Is dat alles?! Maar als ik in die boot stap, zinkt hij meteen!'
'HAHAHA!' De oude knager moest hier smakelijk om lachen.
'Denk je dat echt, knul?! En toch kunnen er *acht* knagers op! Ik ga er m'n hele leven al mee vissen.'
Erik, de Noor, liep bewonderend om de boot heen: 'Zo LICHT... hij is vast heel snel!'
'RAZENDSNEL!' beaamde Pamik.
'Maar hij is niet gemakkelijk te besturen: dat vraagt een hoop handigheid!'

Angst in de nacht

Ondertussen, buiten op het IJS in de bittere kou, klapte Kanuk met zijn zweep in de lucht om zijn span aan te sporen. Ze mochten Kimmik niet uit het oog verliezen: 'YOP! YOP! YOP!'

Na de geheimzinnige knal was Kimmik luid blaffend weggestoven. Ze hadden trouwens geen idee wat de oorzaak van de ontploffing was geweest… Inmiddels hadden ze de Nanavak Baai bereikt, een haast ONBEGAANBAAR en volledig verlaten gebied ten oosten van Barrow.

Kimmik was uit het zicht verdwenen en Kanuk kon ook zijn verre geblaf niet meer onderscheiden van het oorverdovende geblaf van de honden van zijn span. Hij liet de teugels vieren zodat de leidershond Kimmik zelf kon **volgen:** deze kon veel beter horen en ruiken dan Kanuk. Ashvin op zijn beurt had ook ***VAART*** geminderd om Kanuk niet kwijt te raken. Het was zo **PIKDONKER** dat Nicky's **hart** sneller begon te kloppen.

Ze kreeg het benauwd, wat anders alleen gebeurde als ze in kleine, gesloten ruimtes was (Nicky lijdt aan claustrofobie zoals je misschien al weet). Maar die situatie, die diepe DUISTERNIS, maakte haar zenuwachtig.
'Kalmeer!' beval ze zichzelf. 'Je bent buiten, niet binnen!' en ze keek om zich heen, maar zag geen poot voor ogen.
Ze richtte haar BLIK op de hemel, en zag tot haar grote opluchting de sterren.
Wat mooi!
Ze herkende Aldebaran, de helderste ster in het sterrenbeeld Stier, ook wel het rode oog van de stier genoemd. Ook zag ze Orion: de sterren van dat sterrenbeeld

vormen een jager die de stier **ACHTERVOLGT.**
Hè, haar ademhaling werd eindelijk weer normaal: het was Nicky gelukt om haar **ANGST** te vergeten door aan andere dingen te denken!
Opeens gilde Pamela: '**HELP!!!**'
In het licht van de koplamp van haar **SCOOTER** had ze, iets verderop, opeens een roedel **WOESTE** wolven uit een paar sneeuwhopen tevoorschijn zien springen. Tenminste, dat leek het...

STERREN

Net als op zee, moest men op de ijsvlaktes van de Noordpool goed bekend zijn met de nachtelijke **hemel** om zich te kunnen oriënteren. Deze kennis werd van generatie op generatie doorgegeven.
Als de vaders voedsel gingen zoeken, ging de hele familie mee. Tijdens de reis onderwees de vader zijn kinderen over de positie van de sterren.
De moeder vertelde hen tijdens de rustpauzes verhalen over de hemel.

GRRRR
GRRRR
GRRRR
HÈ?
HÈ

Pamela gooide haar stuur op het laatste moment om. Maar door de bruuske beweging steigerde de SNEEUWSCOOTER als een SCHICHTIG paard.
Pamela en Paulina werden in de lucht geworpen en vielen in de SNEEUW.

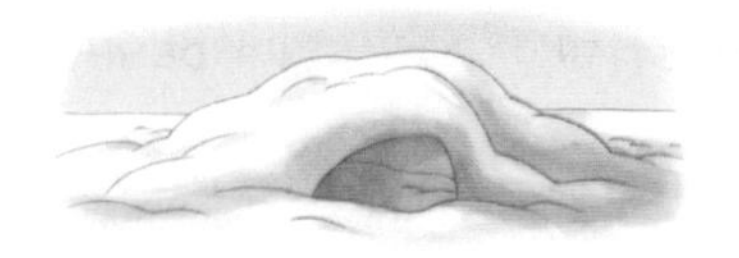

Een schuilplaats in de sneeuw

Gelukkig waren de dieren die Pamela hadden laten schrikken geen wolven, maar… de honden van Ernaneks span! Uit de hoogste SNEEUWHOOP kwam Ernanek zelf tevoorschijn, met een hond in zijn poten. Ze waren **GERED!** Allebei GEWOND… maar gered!

Om te overleven had Ernanek een **SCHUILPLAATS** in de sneeuw gegraven, waarin hij op hulp kon wachten.

Hij was er zeker van geweest dat zijn trouwe viervoeter Kimmik hem niet in de STEEK zou laten en iemand zou waarschuwen!
Kanuk rende naar Ernanek: 'Kom, ik help je! De gewonde hond kan op mijn slee!'
Ernanek steunde dankbaar op zijn schouder, en zei in het Inuktitut: 'Knager van me, ik wist dat je zou komen om ons te redden!'
Violet ging naast Kanuk zitten, zodat Ernanek op de slee kon.
'En Ernaneks honden?' vroeg Paulina bezorgd. 'Laten we die hier achter?'
'Wees maar niet bang, die komen echt wel achter ons aan!' stelde Kanuk haar gerust. 'Of liever gezegd, ze volgen Kimmik, hun leidershond!'
Toen ze weer bij hotel Krilaut terug waren, snelde Kanuks opa, die was opgebleven, hen tegemoet.
Opgelucht omhelsde hij Ernanek.

Violet snapte geen woord van wat de twee oude Inuit tegen elkaar zeiden, maar hun ogen **straalden** in ieder geval.
Ze wreven hun neuzen tegen elkaar en wisselden hartelijke gebaren uit.
Ernanek werd verzorgd en kreeg te eten en te drinken, en zo ook zijn honden.
Daarna begon hij te vertellen over wat hij op het **IJSDEK** had gezien…

Ernaneks verhaal

Ernanek was moe en zag bleek, maar zijn OGEN hadden nog dezelfde adelaarsblik als toen hij een jonge Inuit knager was. Hij sprak in het Inuktitut. Kanuk haastte zich om iedere zin te VERTALEN: 'Op uitnodiging van mijn vrienden de Krilauts was ik onderweg naar Barrow. Ik zou het met de *Groene Muizen* over de tradities van de plaatselijke INUIT hebben. Ik was net in de buurt van de Nanavak Baai toen ik een **ontploffing** hoorde...'
Pamela sperde haar ogen wijd open en riep: 'Wij hebben er ook één gehoord!'
Ernanek knikte en Kanuk zei: 'Dat kun je wel zeggen ja!'

Ernanek vervolgde zijn verhaal en Kanuk bleef alles keurig vertalen: 'Ik ging natuurlijk KIJKEN wat de explosie veroorzaakt had.' De jonge knagers om hem heen luisterden ademloos toe.

'Ik zag een groot schip. Het leek een ijsbreker te zijn. Op de achtersteven stond SEAGULL en VANCOUVER geschreven...'

Ernanek sprak langzaam en maakte korte zinnen, om Kanuk de gelegenheid te geven ze te vertalen.

'Op het ijs stonden een paar knagers. Ik wilde naar hen toe om ze te vragen wat er gebeurd was. Zodra ze me in het oog kregen begonnen ze te schreeuwen! Ik kon er geen wijs uit worden. Maar… ze hadden duidelijk VIJANDIGE bedoelingen!'

'Hebben ze u bedreigd?' vroeg Paulina geschokt.

Ernanek raadde wat Paulina gevraagd had en antwoordde: 'Ik hoorde ze schreeuwen en begreep dat ik SNEL rechtsomkeert moest maken. Toen… volgde er nog een knal! De bodem schudde en de SLEE schoot omhoog. Achter mij viel een hele ijswand in

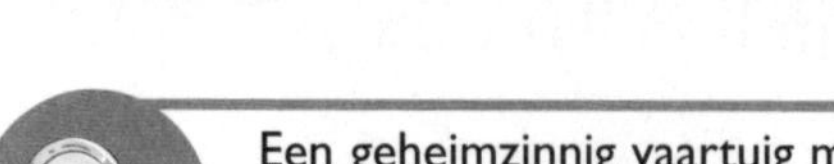

TIP

Een geheimzinnig vaartuig met een louche bemuizing en allemaal ontploffingen.
Wat is er aan de poot op de Noordpool?

Ze maakten gebruik van **springstof!'**
De oude knager streek met zijn poot over zijn kop, alsof het hem grote **MOEITE** kostte om zich alles weer voor de geest te halen.
'Overal vlogen er **IJSSCHERVEN** door de lucht! Zowel ik als mijn honden werden **GERAAKT!'**
De jonge knagers trilden van verontwaardiging.

Ernanek vervolgde: 'Ik kon niet verder: nóch ik nóch mijn honden konden de reis aan! Daarom heb ik mijn trouwe vriend Kimmik erop uitgestuurd, om jullie om hulp te vragen.'

De hond ging aan Ernaneks poten liggen, alsof hij de woorden van zijn baasje begrepen had.

Een eerste onderzoek

'Ik zeg dat we die **boeven** een lesje moeten leren!' riep Ashvin, die zich tot op dat moment met moeite had kunnen inhouden.
Kanuk was het met hem eens: 'Ja, we moeten ze stoppen! Ik weet niet wat ze van plan zijn, maar als ze met dynamiet werken, kunnen ze onherstelbare schade aan het ECOSYSTEEM aanrichten!'
De **THEA SISTERS** waren het helemaal met de twee knagers eens, maar vroegen zich af hoe ze hier het beste tegen op konden treden.
'Natuurlijk moeten we hen **TEGENHOUDEN!'**

verklaarde Violet. 'Maar… laten we niet vergeten dat het **GEVAARLIJK** kan zijn!'
'Violet heeft gelijk!' vond Paulina.
'Laten we eerst proberen uit te vinden wie ze zijn en waar ze mee bezig zijn. We kennen de naam van het schip: de **SEAGULL** uit **VANCOUVER!** Misschien komen we op internet meer over hen te weten.'
'Wijze woorden!' zei Kanuks OPA goedkeurend. 'Maar laten we voorlopig allemaal onze bedden opzoeken. Jullie hebben een

lange reis achter de rug en Ernanek moet weer op KRACHTEN komen!'

De JONGE knagers gehoorzaamden. BEZORGD smoezend liepen ze allemaal naar hun slaapkamers.

De THEA SISTERS sliepen bij elkaar op een kamer. Maar Paulina deed geen oog dicht en begon meteen op INTERNET te zoeken.

Colette, die net zo min de slaap kon vatten (ook omdat ze snipverkouden was), ging naast haar zitten. Ook Pamela, Violet en Nicky, die net zo ongerust waren, bleven wakker.

'Ik zou echt niet weten waarom ze het ijs laten ontploffen!' zei Nicky, terwijl ze *stretch-oefeningen* op de grond deed (zoals altijd wanneer ze zenuwachtig is).

'Misschien zoeken ze iets...' bedacht Violet.

'Gevonden!' riep Paulina uit, toen ze de naam Seagull op een internetsite tegenkwam.

'Heb je... KRAAK... ontdekt wie die knagers van het schip zijn... KRAAK?' vroeg Pamela aan een koekje knabbelend (Pam grijpt altijd naar iets krokants als ze ergens over inzit).

'Nog niet,' antwoordde Paulina. 'Maar nu ik de exacte gegevens van het schip en de reder* heb, kan ik mijn vrienden over de hele wereld om informatie vragen. Goede kans dat we morgen al meer weten. Maar laten we voorlopig gaan slapen, muizinnen...'

* De eigenaar van een schip.

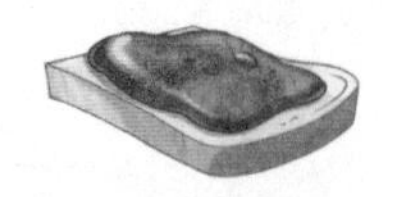

Een lelijke verrassing!

De volgende ochtend was Colette blij **verrast** toen ze wakker werd: haar neus zat niet meer dicht! Zou Pamiks walgelijke **drankje** nu al effect hebben gehad? Het leek er **WEL** op!
Vrolijk liep ze naar het raam. Ze deed het open om van het uitzicht te genieten

maar... WOEEESSSJJJ! Een ijzige wind dwong haar het raam meteen weer te sluiten.
BRRR! WAT KOUD!
ONTHUTST keek ze naar buiten.
'Maar... hoe laat is het?! Is de zon nu alweer onder?!'
Violet, die ook wakker was, antwoordde geamuiseerd: 'Het is acht uur 's ochtends. Wat de zon betreft... die komt pas in de lente weer op!'
'Hè bah!' verzuchtte Colette, zich op haar voorkop slaand. 'Ik was even vergeten dat we ons boven de noordpoolcirkel bevinden!'

Ook Paulina was wakker geworden en had meteen haar LAPTOP aangezet. Jammer genoeg werd ze TELEURGESTELD: er was geen enkele e-mail over het schip binnengekomen.
'Geen nieuws over de SEAGULL. We moeten nog even geduld hebben. Zullen we ondertussen gaan ONTBIJTEN?! Ik heb een honger als een kat!'
Dat vonden de andere Thea Sisters een prima idee.

Ze liepen de trap af naar de gemeenschappelijke zaal waar een deel van de andere Groene Muizen al zaten te eten.
Mamma Krilaut had een tafel vol lekkers gedekt: HETE thee, chocolademelk en melk, bosvruchtenjam en de hemels lekkere (Pamela's woorden) *bannocks**, vers uit de oven!
Mamma Krilaut maakte het nog zelf, volgens een oud recept. Voor deze gelegenheid had ze het brood extra lekker gemaakt met bessen en rozijnen.
Paulina, Violet, Nicky, Colette en Pamela werden zo in beslag genomen door het zalige ontbijt dat ze niet merkten dat er alleen knaagsters aan tafel zaten.
Pas na haar derde bannock vroeg Nicky aan Fleur: 'Liggen alle muizen nog te slapen?'
Fleur antwoordde verbaasd: 'Wat? Weet je het nog niet? Ze zijn gisteravond vertrokken!'

* Brood dat gebakken wordt in een pan. Het komt uit de inheemse, Noord-Amerikaanse keuken en wordt ook wel Indiaans brood genoemd.

Paulina **verslikte** zich in haar melk:
'UCHE! UCHE! UCHE! VERTROKKEN?!'
'Waarheen dan?' vroeg Pamela.
'Naar de Nanavak Baai! Dachten jullie echt dat ze zo'n kans zouden laten schieten?'
Candy, het Zuid-Afrikaanse muizinnetje, en Yuko, de JAPANSE, mengden zich in het gesprek.

'We hebben ze gezien VANNACHT.
Ze hebben alle vervoersmiddelen meegenomen die er waren!' zei de eerste, met een GEËRGERD gezicht. 'Dus als wij ergens heen willen, moeten we lopen!'
Ook Pamela baalde: 'Ashvin had ons op z'n minst kunnen waarschuwen! Ik dacht dat we hier met z'n allen over zouden beslissen!'
Yuko nam het voor Ashvin op: 'Zo moet je het niet zien! Ashvin wilde zich alleen maar nuttig maken. Hij is een knager die nogal hard van stapel loopt. Maar dat doet hij alleen omdat hij niet tegen onrecht kan, en wil opkomen voor wie oneerlijk wordt behandeld!'
'Wij verdragen ook geen onrechtvaardigheid! Maar juist daarom moeten we *één blok* vormen! Alleen op die manier kunnen we ons doel bereiken!' bracht Pamela hier tegenin.

Paulina kwam tussenbeide: 'Laten we nou geen **ruzie** maken. We kunnen beter een manier bedenken om het hotel te verlaten en de anderen te **BEREIKEN.** Als er één ding duidelijk is, is het dat we hier vastzitten!'

Mineraalwater!

TELEURGESTELD liepen de muizinnen naar hun kamers terug. Het nachtelijke vertrek van de muizen was moeilijk te verkroppen.
'Het is niet eerlijk! Er zomaar... tussenuit te PIEPEN!' bleef Pamela maar herhalen.
Nicky deed er een schepje bovenop: 'Dit zal ik Ashvin nooit vergeven! En dan te bedenken dat ik het zo'n *geweldige* knager vond!'
Ze wierp een **BLIK** op Paulina.
'En knap!' GLIMLACHTE Paulina. 'Maar hij is veel te onnadenkend!'
Violet besloot: 'Precies! Hij heeft er geen moment bij stilgestaan dat wij hem konden helpen, als hij ons over zijn plannen had ingelicht...'

Paulina keek Nicky aan en liep VERLEGEN naar haar toe: 'Als ik bedenk dat ik jaloers op je was, om hem...'

'En ik op jou!' zei Nicky.

Ze schoten in de LACH.

'HAHAHAHA! WAT EEN MAFMUIZEN!'

Colette lachte met hen mee. Violet knikte, BLIJ dat hun vriendschap ook deze proef had doorstaan.

Meteen daarna zei ze echter: 'Laten we hopen dat hun dolle actie hen niet in gevaar brengt! Het is gekkenwerk om het tegen VIJANDIGE knagers op te nemen als je niets over hun bedoelingen weet!'
Violets woorden hadden het effect van een IJSKOUDE douche op de andere muizinnen.
Paulina keek of er eindelijk e-mails over de SEAGULL waren binnengekomen.
Ditmaal werd ze niet teleurgesteld. Ze las hardop: 'DE SEAGULL is de oude ijsbreker BOTNIA, die tot SEAGULL is omgedoopt nadat hij verkocht is. Hij is nu in poten van het bedrijf ICEWATER van ene Malcolm Ratt... En luister hier eens naar: zijn fabriek bottelt mineraalwater!'
'Mineraalwater?!' riepen Nicky en Pamela gelijktijdig.
Violet zei met grote ogen: 'Wil je zeggen dat die knagers DYNAMIET in het ijs laten

ontploffen om...'
Paulina maakte de zin voor haar af: '...er mineraalwater van te maken!'
Pamela snapte het niet: 'Maar wat LEVERT hun dat op? Zo veel kost een flesje mineraalwater toch niet...'
'Dat dacht je!' verklaarde Colette, op de toon van een expert. 'ICEWATER' staat op de menukaart van de beroemdste en duurste RESTAURANTS ter wereld en kost wel

MINERAALWATER

Dit is water dat mineralen bevat die gunstige eigenschappen voor de gezondheid hebben. Het komt uit een **ondergrondse laag** en ontspringt uit een natuurlijke bron. Afhankelijk van de mineralen die het bevat, en in welke hoeveelheden, worden er verschillende soorten mineraalwater onderscheiden.

MINERAALWATER!

twintig dukaten per flesje! En dat is niet alles: sommige steenrijke knaagsters gebruiken dit van de gletsjers afkomstige water om er hun haar mee te wassen. Ze zeggen dat het er mooi van gaat glanzen!'

'Te gek voor woorden...' was Violets commentaar.

WAT ZEGGEN JULLIE ERVAN OM ALLE AANWIJZINGEN NOG EENS OP EEN RIJTJE TE ZETTEN?

1) Ernanek is aangevallen door geheimzinnige schurken op een ijsbreker, toen hij ze erop betrapte dat ze gletsjers met dynamiet lieten ontploffen.
2) De ijsbreker is eigendom van een bedrijf dat mineraalwater produceert!
3) Denken jullie ook dat het bedrijf Icewater het superzuivere water van de gletsjers van Alaska gebruikt voor zijn beroemde (en peperdure) water?!

SMS = SOS!

Opa Krilaut en Ernanek waren minstens even bezorgd als de **THEA SISTERS!**
De *Groene Muizen* hadden ze ook niets over hun plannen verteld én ze hadden de jonge Pamik **MEEGENOMEN**.
Buiten waaide het nog harder dan de dag ervoor.

Woeeeeeeisssssj!

Iedereen was weer in de gemeenschappelijke zaal: de Thea Sisters, de andere MUIZINNEN, opa Krilaut en Ernanek. De twee oude knagers bespraken samen het gebeurde.
Pamela mengde zich in hun gesprek: 'We

hebben ontdekt voor wie de bemuizing van het schip werkt! Zegt de naam Malcolm Ratt jullie iets?'

Opa Krilaut had die naam al eerder gehoord. Afkeurend zei hij: 'Hij handelde in **pelzen**, maar heeft zich al een hele tijd niet meer in de omgeving laten zien.'

Paulina vertelde hem wat ze wisten: 'Hij bottelt tegenwoordig mineraalwater. Het heeft er alles van weg dat zijn water van de GLETSJERS afkomstig is. Het is erg geliefd bij de vims*!

Fleur riep uit: 'Willen jullie hiermee zeggen dat hij *met opzet* gletsjers vernielt om water te krijgen dat hij vervolgens in flessen doet?! Als dat zo is, moeten we de **POLITIE** waarschuwen! In feite hebben die schurken Ernanek verwond!'

OPA Krilaut was het helemaal met haar eens: 'Dat staat vast! Maar het is een lange tocht!

* Vim staat voor "very important mouse", wat Engels is voor "hele belangrijke knager".

En ondertussen?! Ik zou het mezelf nooit vergeven als onze **KNAGERS** iets overkomt!'
Hij had deze woorden nog niet uitgesproken, of er gingen vier mobieltjes tegelijk af!

Fleur, Nicky, Paulina en Candy *lazen* snel het zojuist op hun mobieltjes binnengekomen sms-bericht.
Het bleek één en hetzelfde, van Kanuk afkomstige, bericht te zijn. Hij moest het STIEKEM en gehaast verstuurd hebben.
Fleur reageerde als eerste:
'We bellen meteen de politie!'
Nicky dacht er hetzelfde over:
'Ja, dat moeten we meteen doen! Maar we blijven hier niet zitten wachten. Het schip zou met de knagers aan boord kunnen vertrekken... iedere minuut is kostbaar!'
'En hoe denk je daar te komen, lopend?! We hebben geen **JEEP** en ook geen sleeën!' herinnerde Candy haar.
De **THEA SISTERS** keken elkaar aan.
'Hebben ze ook Ernaneks slee meegenomen?' vroeg Paulina.

'Nee,' antwoordde Kanuks opa, 'maar die is nogal **KLEIN**. Er kunnen hooguit drie knagers op, de bestuurder inbegrepen.'
'De *umiak!*' fluisterde Colette.
Pamela had haar niet verstaan: 'Wat zei je?'
'DE UMIAK! JA, DE UMIAK!' schreeuwde opa Krilaut. 'Met de boot zijn we er nog *eerder* dan met de sleeën!'
Vervolgens keek hij PEINZEND naar zijn gewonde oude vriend: 'Ernanek en ik kunnen de tocht niet alleen aan.'
Nicky bood vastbesloten aan: 'Ik kan een boot BESTUREN! En ik weet zeker dat m'n vriendinnen met een roeispaan kunnen omgaan!'
Pamela riep uit, met een knipoogje naar Colette: 'Ja nou en of! En zelfs Colette zet graag haar mooie nagels op het spel voor het goede doel, toch, Colette?'
Colette stak haar tong uit.
Paulina besloot: 'Dus dat is geregeld!

Wij gaan met jullie mee, en met elkaar vinden we het ICEWATER schip.'
Opa Krilaut knikte en ging met de muizinnen naar zijn schuur.

Vet ijs en pannenkoekenijs

Toen opa Krilaut de deur van de schuur opende en het LICHT aandeed, konden Violet, Nicky, Paulina en Pamela hun ogen niet geloven.
Waar was de beloofde boot?! Kanuks opa kon toch niet dat *stoffige ding* op twee staanders bedoelen?
Bij het zien van het oude vaartuig, verloor Colette's idee alle glans. Dat ding leek meer op een SKELET dan op een boot!
Ernanek strompelde als laatste de schuur in. Hij liep om de boot heen en controleerde zorgvuldig iedere centimeter van de huiden om het houten geraamte. De oude Inuit

straalde van voldoening. In zijn OGEN was de *umiak* een juweel van een boot.
Paulina ging bij Nicky staan en fluisterde: 'Ik ga hiermee niet tussen het IJS varen... al zou ik er alle kaas ter wereld voor krijgen!'
'Ja... hij lijkt inderdaad erg LICHT, maar... als de Inuit hem al eeuwen gebruiken, wil dat zeggen dat het een degelijke boot is!' antwoordde Nicky vol vertrouwen. 'Én onze enige mogelijkheid om onze vrienden te redden!'

'Oké, we hebben een boot!' verklaarde Pamela op DOORTASTENDE toon. 'Maar hoe krijgen we hem in het water als de zee helemaal BEVROREN is?'
'Hij is niet helemaal bevroren. Dat is precies het probleem waarover Kanuk jullie wilde vertellen: door de OPWARMING van de aarde smelt het ijsdek op de Noordelijke IJszee gedurende een groot deel van het jaar weg! En dit berokkent grote schade aan het milieu. Ons komt het nu goed uit, althans om bij de knagers te komen...'
Kanuks OPA begon de nodige spullen bij elkaar te zoeken, terwijl hij de MUIZINNEN uitlegde: 'Vroeger waren alle scheepsroutes in deze tijd van het jaar al afgesloten door het ijs. Tegenwoordig smelt het ijs door de hogere TEMPERATUREN tot ronde plaatjes, en blijft lange tijd in deze staat van zogenaamd "vet ijs of pannenkoekenijs" bestaan...

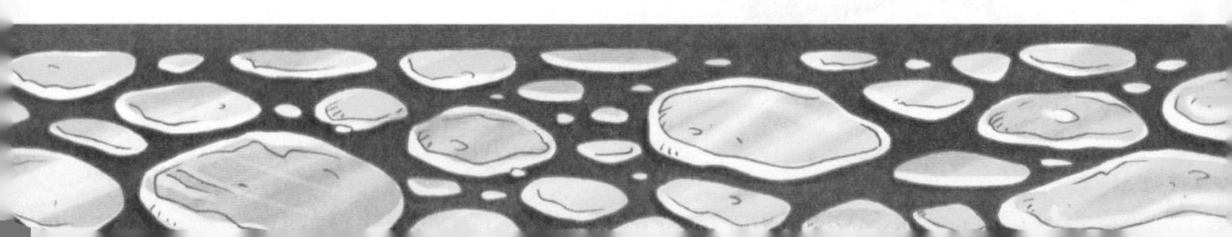

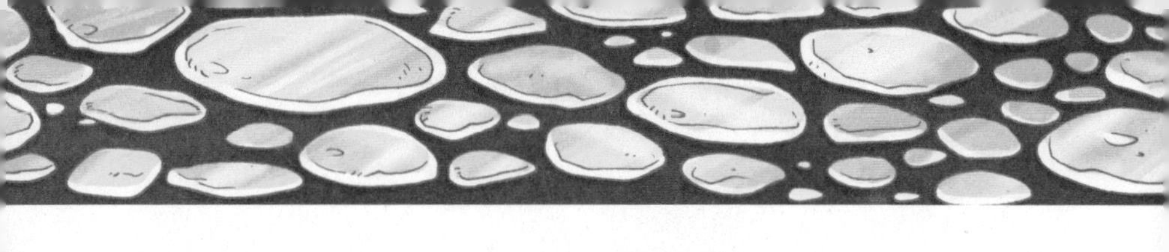

Op dit "vette ijs" kun je ROEIEN!'
'Vet ijs of pannenkoekenijs? Hoorde ik dat goed?!' vroeg Violet aan de andere muizinnen.
Nicky verklaarde: 'De ZEE bevriest maar heel langzaam: eerst vormen zich IJSPLAATJES, die op de oppervlakte blijven drijven en het een olieachtig uiterlijk geven. Daarom wordt het ijs "VET" genoemd. Deze plaatjes worden steeds dikker en nemen een RONDE vorm aan, met enigszins opstaande randjes. Het lijken dan net dikke pannenkoeken! Vandaar de naam pannenkoekenijs.'
Kanuks opa en Ernanek legden de umiak op twee HOUTEN balken, waardoor het een soort enorme schaats werd. Ze bonden hem stevig achter de slee en nodigden de Thea Sisters uit om in te stappen.
Ze waren klaar voor vertrek!

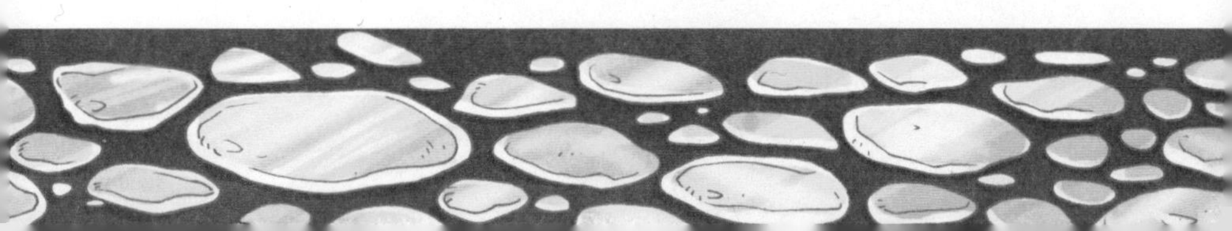

Roeien op het ijs

De Thea Sisters vonden de TOCHT in de *umiak* superspannend.

Maar eenmaal op de golven leek de boot wel heel erg wankel.

Kanuks OPA hielp de muizinnen aan boord.

Ze kregen ieder een riem in hun poten.

'Het belangrijkste is dat jullie allemaal gelijk-

tijdig roeien: ik geef het ritme aan en jullie moeten je best doen om het te volgen.'
De hemel was nog DONKERDER dan de dag ervoor, omdat hij door dikke zwarte wolken bedekt werd. De zee was WOELIG.
'Des te beter,' merkte opa Krilaut op. 'Een zee die in beweging is kan niet dichtvriezen.'
Violet kon met eigen OGEN aanschouwen wat er met "vet ijs" en "pannenkoekenijs" bedoeld werd.
'Mjammie!' Pam wees naar de platte, ronde plakken IJS, en deed net of ze er zin in had. 'Het lijken net grote pannenkoeken met poedersuiker! HaHa!'
Nicky zei: 'Wat is het DONKER! We hadden zaklantaarns mee moeten nemen.'
Violet was het daar niet mee eens: 'Nee hoor, want zo zien die SCHURKEN ons niet aankomen! Het enige voordeel dat wij op hen hebben is de VERRASSINGSFACTOR!'

'Zo is het,' beaamde Kanuks opa. 'En, merken jullie hoe de stroom ons helpt? Hij gaat precies in de goede RICHTING!'
Opa Krilaut begon te roeien en het ritme aan te geven. 'OOO-HOP! OOO-HOP!'
De MUIZINNEN deden hun uiterste best, al hadden ze nauwelijks enige ervaring.
Nadat ze een tijdje geroeid hadden, voelden

ze de kou niet meer. Colette merkte dat ze zelfs zweette in haar parka.

'Blijf in het ritme,' herinnerde Paulina, die achter Colette zat, haar. 'Anders botsen onze roeispanen!'

Colette haalde zo **STEVIG** uit met haar roeiriem, dat ze met het pootvat tegen Nicky's rug aan sloeg. 'Auuu!' protesteerde die.

'STOP!!' beval opa Krilaut. 'Zo gaat het niet! Jullie **KRACHTEN** zijn niet in evenwicht.'

Hij wees eerst naar Colette, Violet en Paulina: 'Jij, jij en jij: jullie moeten meer kracht zetten met jullie poten!'

Vervolgens wendde hij zich tot de andere twee: 'Jullie moeten juist wat minder **ENERGIEK** roeien! Jullie zijn met z'n vijven... probeer te werken als de vingers van één en dezelfde poot!'

De Thea Sisters volgden zijn raad op, en even later sneed de boot door het water als een mes door de roomkaas.

Het schip

Nicky was inmiddels aan het DONKER gewend geraakt, en kreeg als eerste de baai van Nanavak in het OOG.
De IJSBREKER was er nog steeds. Hij lag niet ver van de monding van de baai voor anker. Opa Krilaut gebaarde de MUIZINNEN om te stoppen met roeien.

Hij en Ernanek BESTUURDEN de boot samen stilletjes verder.
De *umiak* legde aan tegen het schip.
Uit het ruim kwam een oorverdovend lawaai van machines en enkele patrijspoorten waren verlicht.
Op het pakijs was niemand te zien en ook op de brug van het schip zagen ze geen enkele BEWEGING.
Iedereen moest zich aan boord bevinden.
Nicky fluisterde: ‘We moeten naar boven KLIMMEN om uit te vinden waar ze onze knagers gevangen houden.’
‘Ik zie geen bewakers…’ merkte Violet op.
‘En via die ladder zijn we zo aan boord.’
Pamela stond al: ‘Mooi zo! Al heb ik absoluut geen zin om langs een ijskoude LADDER omhoog te KLIMMEN, we hebben geen tijd te verliezen’.

Maar Paulina wilde van tevoren een plan opstellen. 'Ik stel voor dat we naar boven gaan en een kijkje in de **STUURHUT** nemen. Daarna verspreiden we ons over het benedendek, waar de hutten zijn. Tenslotte gaan we met z'n allen in het ruim zoeken.'

'Ik ben ook van de partij!' verklaarde OPA Krilaut vastberaden. 'Omdat Ernanek GEWOND is, blijft hij in de boot.
Ik kom met jullie mee!'

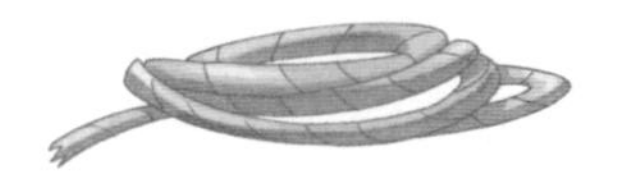

ik doe hier niet aan mee, oké?

De **THEA SISTERS** konden niet weten wat er aan boord gaande was.
Toen ze door het grote raam van de stuurhut gluurden, zagen ze negen knagers die in een levendige discussie verwikkeld waren, alsof ze een belangrijk besluit moesten nemen.
'Met die knullen aan boord kunnen we niet meer werken!' zei de kapitein **KWAAD**, na een lang telefoongesprek met de eigenaar van **ICEWATER** gevoerd te hebben. 'We zullen met een halfvol ruim naar huis moeten.'
'HALFVOL?!' protesteerde een magere knager met rood **haar**, en het uiterlijk van

een oude zeerot, of liever gezegd, een oude zeerat.

'Een halve lading vind ik maar niks, want dat betekent een half loon!'

'Laten we nog een dag wachten en al het DYNAMIET laten ontploffen,' vond een knager met een cobra-tatoeage op zijn poot. 'Een mooie BOEM en we laden al het ijs in het schip! En dan verwerken we op de TERUGREIS.'

'Dat lijkt me geen goed idee, Cobra,' mopperde

een ander, met de omvang van een boks-
kampioen. 'Dat lijkt mij helemaal niks!'
Cobra reageerde beledigd: 'Wat is er mis met
mijn plan? Het is juist *perfect!*'
De uit de kluiten gewassen knager antwoordde
droog: 'Ik werk voor mister Ratt van ICEWATER,
oké? Ik doe alles wat nodig is voor mijn werk,
oké? Maar ik houd geen jonge knagers
GEVANGEN! Oké?!'
De **kapitein** mengde zich in de discussie:
'Het zijn bemoeials! En verder zijn we erachter
gekomen dat ze bij de Groene Muizen horen.
Iedereen weet dat het bij de wet verboden is
om **GLETSJERS op te blazen!** En deze
steekneuzen gaan natuurlijk Mister Ratt
aangeven. En als ze hem arresteren, zijn wij
ook de klos! Het is te **RISKANT!**'
De hele bemuizing was het met hem eens.
Iedereen... behalve de **forse** knager.
Hij bleef koppig met zijn kop schudden:

'Ik sta er niet achter, **oké?** We zijn vertrokken met het idee om gewoon te werken. En nu komt daar opeens die lelijke geschiedenis met een stel opgesloten knagers bij.
Ik dacht dat ik niks verkeerd deed, oké?
Ik doe hier niet aan mee, **ik doe hier echt niet aan mee!'**
De andere bemuizingsleden keken hem scheef aan.

Problemen aan boord

De gemoederen van de bemuizing in de **STUURHUT** raakten steeds meer in beroering. Dat kwam de **THEA SISTERS** goed van pas: zolang de **SCHURKEN** aan het ruziën waren, zouden ze hun aanwezigheid niet opmerken!
Nicky fluisterde tegen haar vriendinnen:
'We maken van de gelegenheid gebruik om onze knagers op te sporen en ze te bevrijden!'
De muizinnen en opa Krilaut **VERSPREIDDEN** zich over de gang waaraan de hutten lagen, en probeerden de deuren één voor één te openen. Niets. Ze zaten allemaal op slot en er kwam geen enkel geluidje uit. Maar plotseling…
BOINK!

Colette werd opgeschrikt door een bons. Achter de deur waarvoor ze stond, bevond zich iemand! Maar net op dat moment begon haar neus te jeuken en...
'TSJIE! TSJIE! TSJIE!'
Ze blééf maar niezen.
'Colette?!' vroeg een stem vanachter de deur.
OPA Krilaut, die zich vlakbij Colette bevond, herkende de stem meteen.
'PAMIK!'
Ze hadden de knagers gevonden!
Nu moesten de Thea Sisters de sleutel zien te vinden om ze te bevrijden, maar hoe?
Ze konden in ieder geval niet TEGEN negen matrozen op!
In de stuurhut werd er nog heftiger gediscussieerd. De stevige knager had het ONDERSPIT gedolven. Alle anderen wilden hem oppakken en samen met de jonge knagers achter SLOT EN GRENDEL zetten.

'Deze **KLETSKOUS** moet ook opgesloten worden! Ga de sleutels van de hut halen!' riep de kapitein tegen Piet Vlo, de *MAGERSTE* van het stel. De knager liep al naar het berghok. Dit was de gelegenheid waarop de muizinnen en opa gewacht hadden!
Piet Vlo had net een bos sleutels GEPAKT, toen hij een diepe en vastberaden stem achter zich hoorde: 'Geef hier die sleutels!'
Piet **SIDDERDE** van angst en draaide zich

langzaam om: Opa Krilaut en de Thea Sisters keken hem DREIGEND aan. Hij was zo overrompeld dat hij totaal geen weerstand bood.
Terwijl Kanuks opa Piet in een hut opsloot, HAASTTEN de Thea Sisters zich met de sleutels naar de hut waar hun vrienden gevangen zaten.
Het moment was aangebroken om af te rekenen met die boeven van ICEWATER!

Een onverwachte wending

Intussen vroeg de kapitein van het schip zich af waar Piet bleef. Hij wilde hem net gaan roepen toen er... een heel stel knagers in de deuropening verscheen.
'Jullie zitten in de val! We hebben onze vrienden gevonden en we zijn ze aan het bevrijden!'
Het waren Kanuk, Pamela, Nicky, Ashvin, Pamik en drie andere *Groene Muizen*.
Het werd muisstil.
De uit de kluiten gewassen knager *profiteerde* van de complete verwarring om zich te bevrijden van zijn medematrozen, die hem in hun greep probeerden te houden. Eén flinke **RUK** en hij was los.

In no-time **rolden** de boeven over de vloer, en konden de jonge knagers hen moeiteloos onschadelijk maken. Alleen één grote knager was nog vrij. Wat nu?
Kanuk wist het niet goed: die **BEER** van een knager was twee keer zo groot als hij!
Pamela nam het heft in poten en richtte zich tot de knager: 'Vergis ik me of hebben je vrienden je niet zo *netjes* behandeld?'

Ze voelde aan dat die reus eigenlijk een goedzak was, en een **MUIZENISSIGE** bondgenoot kon worden. De reus was even van zijn stuk gebracht: in wezen had hij nooit slechte ***BEDOELINGEN*** gehad. Hij zou hun willen uitleggen dat hij niets te maken had met de gevangenneming van de jonge knagers. Maar hij was altijd al een verlegen knager geweest… en hij kon niet goed met woorden overweg.

Uiteindelijk vond hij zijn stem terug: ‘Ik doe alleen mijn werk en ik wilde niemand kwaad doen, oké? Dat is alles. Oké?’

‘GOED GEZEGD, VRIEND!’ zei Pamela opgelucht en voldaan. ‘Je ziet zo dat jij… *oké* bent!’

RRR-RRR-RRR-RRR-RRR-RRRR-RRR-RRR

Opeens hoorden ze het geluid van een helikopter boven hen.

De **POLITIE** was gearriveerd!

iedereen z'n lesje!

De politie trof acht als **ROLLADES** vastgebonden knagers aan en één reus die hen in de gaten hield.
Ashvin verklaarde: 'Deze boeven vernielden hele **GLETSJERS** met dynamiet om er vervolgens mineraalwater van te maken!'
Terwijl de politie de boeven snel arresteerde, zei Paulina tegen Ashvin: 'We wisten al van het mineraalwater. En we hebben de overheid al gemeld wie er **ACHTER** zit: ene Malcolm Ratt, de eigenaar van Icewater. Dat ben ik allemaal via INTERNET te weten gekomen!'
'Oh!' zei Ashvin **BLOZEND**.

'Dus… je bedoelt dat jij, met je computer, meer hebt bereikt dan wij met onze belachelijke nachtelijke missie? Door mijn haast om in actie te komen, heb ik ook de anderen in gevaar gebracht!'

De muizinnen keken elkaar onzeker aan. Een paar seconden geleden wilden ze de muizen nog een flinke uitbrander geven. Maar nu?

Pam zei eerlijk wat ze van hem dacht: 'Weet je wat ik je zeg? Je bent een rauwe pizza en er zitten een paar SCHROEFJES bij je los, maar… petje af dat je je FOUTEN toegeeft!'

Ashvins mond viel open van verbazing, hij wist niet wat hij moest denken.

'Maar… wat spreekt die muizin voor taal?' vroeg hij stotterend aan Nicky en Paulina.

'Dat is "Tangu-taal"* **HAHAHA!!!**' antwoordden ze lachend.

* Pams achternaam is namelijk Tangu.

Ashvin bracht de politie en de THEA SISTERS meteen naar het ruim van het schip.
Nog voordat de boeven gevangen werden genomen, hadden de muizen het geheim van ICEWATER al ontdekt.
Het ruim was VERANDERD in een "ijsfabriek": de blokken puur IJS werden er verbrijzeld en gesmolten.
Het verkregen WATER werd in flessen gedaan.

ICE
Water

ICEWAT

De flessen werden in houten **KISTEN** verpakt, klaar voor verzending. Als het schip zijn **bestemming** bereikte, stond de lading al helemaal klaar: DUIZENDEN flesjes die naar de *beroemdste* restaurants ter wereld gestuurd zouden worden!
Het viel niet te ontkennen: Mister Ratt had zijn zaakjes goed voor elkaar!

Aksarnerk*!

De volgende dag was het hele stadje Barrow in *feeststemming!* Het journaal had het nieuws verspreid over de arrestatie van de **boeven** en de aanhouding van Malcolm Ratt op het vliegveld van Seattle, waar hij de

* Aurora borealis (noorderlicht) in de taal van de Inuit.

ICEWATER SCHANDAAL!

Miljardair Malcolm Ratt gearresteerd: voor het produceren van mineraalwater bracht hij het ecosysteem van de gletsjers in Alaska in gevaar.

POTEN wilde nemen naar Zuid-Amerika. De **THEA SISTERS** en de *Groene Muizen* organiseerden een muizenissig *feest* in Barrow! OPA Krilaut en Ernanek kregen ereplaatsen. Het feest was een groot succes. Er stonden tafels vol typische Inuit hapjes en er werd gedanst en gezongen.

AKSARNERK*!

De THEA SISTERS mengden zich in de feestvierende menigte. Ze zongen LUIDKEELS mee met de Schreeuwende IJsco's en smulden in gezelschap van Kanuk en Pamik van de "hemelslekkere" bannocks*!
Wat Nicky en Paulina betreft, Ashvin had het dan wel goedgemaakt, maar hij had voor hen zijn charme verloren. Ze keken met plezier naar Ashvin en Yuko die poot in poot voorbij wandelden.

* Wil je weten hoe bannocks gemaakt worden? Kijk dan snel in "Op en top Thea Sisters", achterin dit boek

Violet zei niets, maar slaakte een ZUCHT van verlichting toen ze zag hoe Nicky en Paulina de twee gedag zeiden zonder een SPOORTJE van jaloezie of teleurstelling.
Die hele feestdag was het IJSKOUDE Barrow het vrolijkste, warmste en KLEURRIJKSTE plekje van de planeet!
En, als klap op de vuurpijl, verscheen er in de hemel een schitterend noorderlicht, dat iedereen verstomd deed staan.

Blij en stil hielden de Thea Sisters elkaar alle vijf stevig vast bij het zien van dit magische natuurverschijnsel.

Ook de hemel leek hen eraan te willen herinneren dat niets zo kostbaar is als vriendschap!

Beelden uit Alaska!

Het was diep in de NACHT toen ik het hele verhaal van mijn vriendinnen gelezen had! Na hun gevaarlijke avontuur hielden de Groene Muizen hun Grote Bijeenkomst, zoals gepland. Ernanek bleef in Barrow en deed verslag van alle klimaatsveranderingen die hij tijdens zijn lange leven had waargenomen.
Gelukkig werd zijn relaas door de plaatselijke televisie opgenomen, en vervolgens ook door journaals overal ter wereld uitgezonden.
Door belangstelling voor het probleem te wekken, kon de OPWARMING van de aarde misschien vertraagd worden.

Terwijl Nicky en Paulina aan de bijeenkomst deelnamen, wierpen Pamela, Violet en Colette zich op hun reportage.
Ze gingen niet alleen in Barrow en omgeving op ontdekkingstocht, maar huurden een vliegtuigje om de mooiste plekken van Alaska te bezoeken en te filmen!
Bij hun E-MAIL vond ik dan ook het eerste ontwerp voor hun reportage "BEELDEN UIT ALASKA".
Ze vroegen me ook een paar PRAKTISCHE

adviezen voor hun werkstuk en ze wilden weten wat ik ervan vond.
Wat zal ik zeggen? Ik vond het superinteressant! De **THEA SISTERS** hadden het duidelijk met veel enthousiasme en liefde gemaakt.
Zijn jullie benieuwd? Mooi! Je hoeft alleen maar verder te lezen: het begint op de bladzijde hiernaast.

Beelden uit Alaska
Het land van de Grote Kou

Ongeveer 11.000 jaar geleden, toen de temperatuur steeds verder steeg, begonnen de poolkappen zich terug te trekken en werden de bevroren vlaktes met bossen bedekt. Dankzij het gunstige klimaat konden de nomadenvolken zich naar het noorden verplaatsen, om nieuwe jachtgebieden te veroveren. Enkele van deze volken gingen in Siberië wonen, andere staken de Beringstraat over, en bereikten het Amerikaanse vasteland.
Zij zijn de voorouders van de Inuit volken (Eskimo's) en de Amerikaanse indianen (roodhuiden).

ANDERE VOLKEREN VAN DE GROTE KOU

DE INUIT VAN GROENLAND

In **Groenland** wonen ongeveer duizend Inuit: ze vormen het meest noordelijke volk van de planeet. Ze hechten heel veel waarde aan tradities. Hun Raad van Ouderen heeft bijvoorbeeld het gebruik van sneeuwscooters verboden.
Een keer per jaar worden ze door een schip bevoorraad. Dit is het enige contact dat ze met de buitenwereld hebben.

DE CHIUKCHI (TSJOEKTSJEN)

De Chiukchi leven in **Noord-Oost Siberië.** Het zijn rondzwervende vissers en er zijn een paar groepen die rendieren fokken. Ze leven in halfondergrondse woningen of in buisvormige tenten met een kegelvormig dak. Ze maken gebruik van kajaks om te vissen en verplaatsen zich ook met rendier- of hondensleeën.

LAPPEN

Lapland is het woongebied van de Lappen dat zich uitstrekt over het noorden van **Noorwegen, Zweden, Finland en Rusland.** De oorsprong van hun (ruim 2000 jaar oude) cultuur is nog altijd een raadsel. Van hen leeft 8% nog steeds van de rendierfokkerij, maar ze maken wel gebruik van moderne middelen (sneeuwscooters, jeeps en helikopters) om de kuddes te volgen.

DE CREE

De Cree-indianen wonen in het noorden van **Quebec** (Canada) rond de **James Baai.** Het zijn geen nomaden, ze hebben een vaste verblijfplaats. Hun hoofdstad is Mistassini. Tijdens de koudste maanden van het jaar leven ze volledig afgezonderd van de rest van de wereld. Ze jagen en vissen dan aan de oevers van de bevroren meren.

HET LAND VAN DE GROTE RIJKDOMMEN

In 1728 landde **Vitus Bering,** een Deense ontdekkingsreiziger onder bevel van de tsaar van Rusland, in Alaska. Naar aanleiding van de informatie die hij meebracht, stichtten de Russen een basis op het eiland Kodiak. Maar toen de huidenmarkt in 1860 een crisisperiode doormaakte (en Alaska dus niet meer zo aantrekkelijk was) besloten de Russen om hun bezit aan de Verenigde Staten te verkopen.

Lange tijd was Alaska een ongeorganiseerd en wetteloos land. In het begin waren alleen jagers in het gebied geïnteresseerd. De **ontdekking van het goud** aan het einde van de negentiende eeuw leidde echter tot een enorme toeloop. Duizenden mensen overspoelden het verlaten en moeilijk begaanbare gebied. Slechts enkele goudzoekers maakten fortuin. Veel leveranciers en handelaren verrijkten zich wél. Ook al ging het heel moeizaam, de kolonisatie was begonnen…

In 1968 werden er in de Noordelijke IJszee **belangrijke olielagen** ontdekt. In 1971 werd er een verdrag met de inheemse bevolking getekend en werden er oliepijpleidingen met een totale lengte van 1270 kilometer aangelegd van Prudhoe tot aan de haven van Valdez. Door de olie werd Alaska de rijkste staat van de VS!

Vandaag de dag wordt er veel nagedacht over mogelijkheden om de oliewinning in Alaska te beperken en andere bronnen van inkomsten te ontwikkelen die niet schadelijk zijn voor het milieu. Men beseft dat de wildernis van Alaska een belangrijke natuurlijke hulpbron is die alleen maar waardevoller wordt als hij niet wordt aangetast.

WEETJES OVER ALASKA

De **Katajjaq** is een gi-ga-grappige zangwedstrijd, meestal tussen twee knaagsters. De deelnemers staan tegenover elkaar en "zingen" elkaar onzinnige woorden toe: de klanken moeten zo origineel mogelijk zijn en de twee stemmen moeten samensmelten tot een enkel "liedje".
Vaak doen ze geluiden van wilde dieren na. Als een van de twee buiten adem raakt of in lachen uitbarst, heeft de ander gewonnen.

OP DE WEGEN VAN ALASKA KUN JE VAN ALLES VERWACHTEN, OOK VERKEERSBORDEN DIE AANGEVEN DAT ER IN HET WILD LEVENDE DIEREN KUNNEN OVERSTEKEN, ZOALS ELANDEN EN BEREN!

De langwerpige, onregelmatige strook land om de hoofdstad Juneau is het regenachtigste gebied van heel Alaska. Het is er eeuwig vochtig. De zeldzame keren dat het weer opklaart, verschijnen er op de winkelramen en op de deuren van de kantoren bordjes met het opschrift: "**Gesloten wegens de zon**"!

DE NOORDWESTELIJKE DOORVAART

Tussen het einde van de vijftiende en het begin van de twintigste eeuw hebben de Europeanen geprobeerd om een handelsroute over zee tot stand te brengen van de Atlantische Oceaan naar de Stille Oceaan, via het noorden. Pas in 1906 lukte dat, dankzij de Noorse ontdekkingsreiziger **Roald Amundsen.**
Amundsen vertrok in de zomer van 1903 uit Oslo (Noorwegen) op een vissersboot voor de haringvangst (de Gjøa) met een zeskoppige bemanning. In augustus 1906 bereikte hij de stad Circle in Alaska. Uit die stad stuurde hij een telegram waarin hij het welslagen van zijn onderneming bekendmaakte.

De expeditie toonde niet alleen aan dat de **Noordwestelijke doorvaart** mogelijk was, maar tijdens zijn reis verzamelde Amundsen ook belangrijke informatie over de Inuit bevolking en veel wetenschappelijke gegevens over het ijsgebied.

Thea Sisters

OP EN TOP THEA SISTERS

IGLO
KLEIN MAAR GENIAAL!

De **iglo** is een eenvoudige, maar geniale schuilplaats. Deze sneeuwhut biedt zelfs bij temperaturen van **–50 °C bescherming** tegen de kou! De aanwezigheid van drie personen is voldoende om de iglo te verwarmen. En als je een vuur aansteekt, kan de binnentemperatuur oplopen tot wel 17 °C. De lucht in de iglo warmt snel op, terwijl de muren van ijs door de barre buitentemperatuur niet smelten. Meestal dient de iglo als tijdelijk onderkomen tijdens jacht- en vispartijen; bij enkele Noordpoolvolkeren wordt hij gebruikt als vaste winterwoning en is dan soms behoorlijk groot: tot wel 4 meter hoog en 5 meter breed.

Hoe maak je een iglo?

1. Neem blokken goed samengeperste sneeuw (geen verse sneeuw!) en snij ze met een groot mes of een zaag in een rechthoekige vorm. Leg de blokken, als je een flinke voorraad hebt gemaakt, in een cirkel (met een opening voor de ingang) op de grond.

2. Leg op de laag die je gemaakt hebt steeds kleinere blokken. Zorg dat ze om en om liggen zodat de naden verspringen. Sluit de iglo af met het laatste blok, de "sluitsteen". Als de iglo klaar is "metsel" je de blokken aan elkaar door de kieren met samengeperste sneeuw op te vullen.

3. Bescherm de ingang vervolgens met een tunneltje, zodat er geen windvlagen binnen kunnen komen. Laat bovenin de koepel een kleine opening, als schoorsteen, voor als het vuur wordt aangestoken.

HET GROOTSTE IJSHOTEL TER WERELD

Moeten jullie dit eens horen!

In **Jukkasjärvi**, in Zweden, in het hart van Lapland, wordt ieder jaar in december het IJshotel gemaakt.

Het heeft 60 kamers en is voorzien van een bar, zalen, een theater (het Ice Globe Theatre) en zelfs een kapel. Het is helemaal van sneeuw en ijs gemaakt, inclusief de tafels, de stoelen en de pilaren. Binnen wordt het hotel met glasvezels verlicht (met normale lampen zou alles smelten!).

Het bestaat sinds 1990. In dat jaar hield de Franse kunstenaar **Jannot Derid** een tentoonstelling in een "ijscilinder" in de vorm van een iglo. Omdat er in de hotels in de buurt niet genoeg kamers waren voor alle bezoekers, brachten degenen die geen hotelkamer hadden kunnen bemachtigen de nacht door in de hal van de iglo, in donzen slaapzakken. Sindsdien wordt het hotel ieder jaar weer opgebouwd.

Het **ijshotel** van Jukkasjärvi is zo'n succes dat er sinds een paar jaar meer ijshotels gebouwd worden in de koudste landen ter wereld: in Canada, in Noorwegen en in Finland.
Ze zijn erg in trek, vooral voor het voltrekken van huwelijken. Maar ze vormen ook een betoverend decor voor theatervoorstellingen.

EEN VOORSTELLING WAAR JE...
RILLINGEN VAN KRIJGT!

DOE HET ZELF...

EEN ZELFGEMAAKT IGLOOTJE

WAT HEB JE NODIG

1. een pak plasticine (boetseermateriaal) 2. een grote, ronde kom (of kleine schaal). 3. een servetring, het liefst van plastic. 4. aluminiumfolie. 5. witte acrylverf.

VRAAG EEN VOLWASSENE JE TE HELPEN!

Zet de **kom** omgekeerd op tafel, met de **servetring** rechtop ernaast (hierop wordt het tunneltje gebouwd!).
Bedek deze ondersteuning voor je iglo helemaal met **aluminiumfolie**. Maak met de **plasticine** een heleboel rechthoekige steentjes van dezelfde grootte en leg ze in een cirkel om de kom heen. Druk de steentjes zachtjes tegen elkaar zodat ze aan elkaar vastplakken. Bouw hierop in lagen verder en volg hierbij de rondingen van de kom en de servetring. Verf de iglo, als hij klaar is, wit. Maak het **plasticinebouwwerk,** wanneer de verf droog is, los van de aluminiumfolie, en je hebt een mini-iglo!

ZONNE-BRILLEN

Zonnebrillen vormen een heel **BELANGRIJK** onderdeel van ons imago. Zó belangrijk dat we bijna zouden vergeten waarvoor ze eigenlijk dienen: onze gevoelige ogen beschermen tegen de zonnestralen! Vergeet nooit dat het gi-ga-belangrijk is dat de glazen van *goede* kwaliteit zijn. Wat de vorm betreft…bepaal welke zonnebril je het leukste vindt en ontdek iets over je PERSONALITEIT!

HEB JE GEKOZEN? SLA DE BLADZIJDE OM EN ONTDEK OP WELKE THEA SISTER JE HET MEEST LIJKT!

Uitslag van de Zonnebrillentest.

1 - Heb je de roze bril gekozen?

Je hangt graag de "diva" uit, net als Colette!

2 - Een grote, maar sportieve bril?

Je bent recht voor z'n raap, net als Nicky!

3. Een kleine, eenvoudige, maar wel spannende bril?

Je bent, net als Violet, geheimzinnig en elegant.

4. Een grappige, felgekleurde bril?

Je bent een ongeneeslijke optimist, net als Paulina!

5. Hou jij ook van een, laten we zeggen, beetje aparte zonnebril?

Je bent een krachtig mens, net als Pamela!

6. Ga je voor de zonnebril die de Eskimo's gebruiken om hun ogen te beschermen tegen de weerspiegeling van de zon op het ijs?

Dan lijk je op alle Thea Sisters, met andere woorden: je bent gek op avontuur. Je zou zo naar de Noordpool kunnen vertrekken!

De ijsbeer

DE IJSBEER Deze beer, de "koning" van de Noordpool, is het grootste vleesetende zoogdier ter wereld. Hij leeft in het noordpoolgebied, in of bij de Noordelijke IJszee. De volwassen mannetjes kunnen wel 800 kg wegen en 3 meter lang worden!

IJsberen zijn uitstekende zwemmers: ze kunnen ongeveer 100 kilometer onafgebroken zwemmen! Als ze uit het water komen schudden ze hun vacht uit, net zoals honden dat doen, waarna ze weer helemaal droog zijn. Als de IJsbeer namelijk in het water duikt, worden alleen de dikke haren die zijn vacht bedekken nat. Alles daaronder blijft droog!

De witte pels van de ijsberen is zo dik dat ze geen vaste schuilplaats nodig hebben. Bij sneeuwstormen gaan ze op de grond liggen, om een zo klein mogelijk lichaamsoppervlak aan het gure weer bloot te stellen.

SPEL

DE INDRINGERS

In Alaska wonen veel dieren en weinig mensen (de gemiddelde bevolkingsdichtheid is een "halve persoon" per vierkante kilometer!). De fauna omvat 5 zalmsoorten, 3 soorten beren, 16 walvissoorten, 7 soorten zeehonden, 3 soorten dolfijnen en wel 4 soorten muggen! Tussen de op de Noordpool levende dieren op de plaatjes hiernaast en hieronder, bevinden zich drie indringers die er niet bij horen. Rara welke zijn dat?

(De oplossing staat onderaan de bladzijde hiernaast.)

GRIZZLYBEER

GROTE PANDA

STERN

PINGUIN

VEELVRAAT (MARTERSOORT)

OPLOSSING: De indringers zijn de pinguïn en het zeeluipaard, die alleen aan de Zuidpool voorkomen, en de grote panda, die in China leeft.

SPORT

Bob, de speciale uitvoering van het sleetje!

Bobsleeën is een wintersport waarbij in een bestuurbare slee over het ijs wordt gegleden. Er bestaan twee soorten sleeën: de **tweepersoonsbob** en de **vierpersoonsbob**. Ieder team van twee of vier knagers moet een afdaling maken over een bochtig en smal ijsparcours. Het team met de snelste tijd wint. De bobslee heeft 4 glijders en een stuur, en is gemaakt van een legering (een mengsel) van superlichte metalen. De eerste 50 meter duwt de bemuizing de slee op snelheid; daarna glijdt hij vanzelf verder door de zwaartekracht. Op dat punt springt de **bestuurder** voorin en pakt het stuur vast (waarmee hij de voorste twee glijders bedient). De **remmer** gaat achterin zitten. In een vierpersoonsbob zijn het derde en vierde teamlid de **duwers**. De snelheid van een bob kan oplopen tot wel 150 km per uur.

Als Olympische sport vereist deze sport lange en perfect onderhouden banen. Maar er kan ook op natuurbanen gebobd worden... supercool! Waar kun je beter voor een natuurbaan terecht dan in Alaska?
Daar kun je bobsleeën op boswegen die 's winters gesloten zijn voor het verkeer. De sneeuw wordt tot ijs aangestampt, en aan de zijkanten worden muurtjes van hout en sneeuw gemaakt om te vermijden dat de bob van de baan raakt of uit de bocht vliegt.

REMMEN!!!

Om een goede bobslee-afdaling te maken moet je de baan op de juiste manier volgen: je moet weten wanneer je een bocht moet afsnijden, wanneer je tegen de zijwand aan moet sleeën en op welk moment en hoe hard je moet remmen. De bestuurder en de remmer moeten dus goed op elkaar zijn ingespeeld.

KLEIN WOORDENBOEK VAN DE SLEDEHOND (SLEDDOG IN HET ENGELS)

Het was een gi-ga-geweldige ervaring om met Pam in de bobslee de helling af te gaan. Maar een ritje op een echte, door honden getrokken, slee is zeker zo leuk. Wend je wel tot een ervaren volwassene als je een keer op zo'n hondenslee wilt rijden. Alleen honden die door een professional getraind zijn kunnen een slee trekken.

MUSHER

De bestuurder van het span en de baas van de honden heet een musher. Hij kiest de honden, brengt ze groot en zorgt voor ze. De *musher* beveelt zijn honden met korte commando's, vaak zonder zijn stem te verheffen, omdat honden een uitstekend gehoor hebben.

DE BEVELEN

De bevelen voor *sledehonden* komen uit de Inuit taal.
Hike = vertrekken!
Gee = rechtsaf
Haw = linksaf
Whoa = stoppen!
Vaak prijzen de *mushers* hun honden ook en sporen ze aan met lieve woordjes die de dieren uitstekend begrijpen.

1 HANDLEBAR: handvat van de slee

2 RUNNERS: glijders van de slee

3 BASKET: het grote gedeelte van de slee vóór de musher dat bestemd is voor het vervoer van lading of passagiers. Komt ook van pas als er een gewonde hond vervoerd moet worden.

4 NECKLINE: korte lijn die de halsband van de honden met de hoofdlijn verbindt.

5 HARNESS: het tuig dat de hond om heeft als hij werkt. Het dient om het gewicht van de treklast over zijn hele lichaam te verdelen. Het tuig wordt eerst over de kop getrokken en vervolgens worden de voorpoten er één voor één ingestoken.

6 BOOTIES: laarsjes voor de honden van waterdichte stof of fleece. Om ijsvorming tussen de teennagels tegen te gaan.

IDITAROD TRAIL SLEDDOG RACE

Iditarod is de naam van de beroemdste en belangrijkste sledehondenrace ter wereld! Die vindt eens per jaar plaats, op de eerste zaterdag van maart. Van 1973 tot nu heeft de race een steeds groter aantal deelnemers getrokken. De *sledehondensport* is een erkende wintersport geworden. Er wordt zelfs over gedacht om er een olympische sport van te maken!

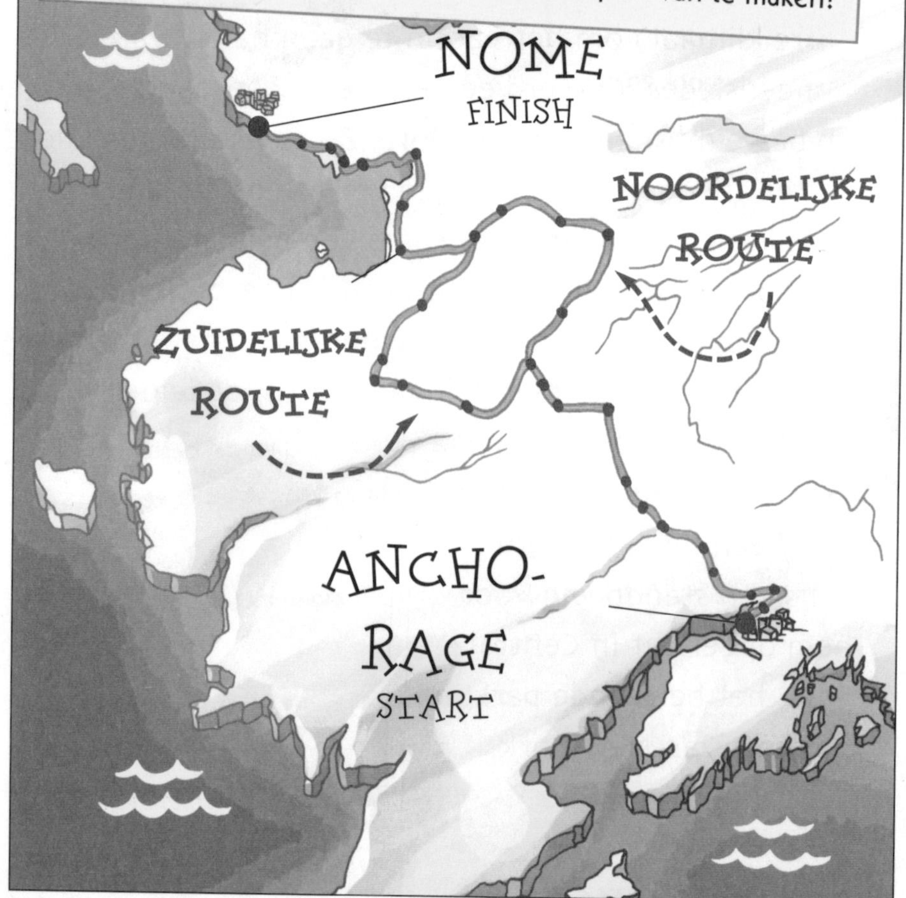

De *Iditarod* is in het leven geroepen om de herinnering aan een waar, in 1926 gebeurd, verhaal levend te houden. In de winter van dat jaar werd het dorp *Nome* in het uiterste noorden van Alaska, door een epidemie getroffen. De arts van het dorp zei bezorgd: 'Als we niet op tijd over het vaccin beschikken, zullen we allemaal sterven!'
Het enige beschikbare vervoermiddel (mede door het barre klimaat) om het vaccin te gaan halen waren de hondensledes. Er werd een estafette georganiseerd met de beste mushers van het dorp. Ze moesten 1765 kilometer afleggen! De expeditie vertrok op 27 januari en bereikte 5 dagen later de plaats van bestemming, Anchorage (terwijl de tocht normaal gesproken twee weken in beslag nam)! De inwoners van het dorp waren gered en de husky met de naam **Balto,** de leidershond van het span dat met het vaccin in Nome aankwam, werd een held. Er werd zelfs een standbeeld voor hem opgericht in Central Park, het beroemde park in het hart van New York.

* Wat is een musher? Zie de uitleg op pagina 203

NIET ALLEEN SLEEËN

De **Idita Trail Invitational** is een race over dezelfde 1765 km lange route als de Iditarod, maar dan voor mountainbikers, skiërs of lopers (met een sleetje achter zich waarop ze hun uitrusting en proviand meenemen). Het is een heel zware wedstrijd die een zorgvuldige training vereist.

De Italiaan **Roberto Ghidoni** heeft drie jaar achtereen de "Idita Trail Invitational" gewonnen. In 2003 kwam hij niet alleen als eerste loper aan, maar liet hij zelfs de skiërs en de fietsers achter zich!
Roberto Ghidoni is gi-ga-beroemd in Alaska, waar hij door iedereen de *Italian Moose*, ofwel de Italiaanse eland wordt genoemd. Andere bijnamen voor hem zijn "Rennende wolf" en "Grootvoet" omdat hij schoenmaat 52 heeft.

DE HEMELSLEKKERE BANNOCKS!

Ik kan er van blijven eten! En aan een stokje boven het vuur gebakken zijn ze nóg lekkerder! Probeer ze zelf ook eens te maken! Vraag wel altijd een volwassene om je te helpen!

INGREDIËNTEN

6 kopjes bloem
1 kopje boter
3 theelepels bakpoeder
1 theelepel zout
2 kopjes rozijnen
3 kopjes water

RECEPT

Meng het **bloem** met de **boter.** Voeg het **bakpoeder,** het **zout** en de **rozijnen** toe. Giet het **water** erbij en kneed het geheel tot een deeg. Als je de bannocks aan het spit wilt bakken boven een kampvuur (zo vind ik ze het lekkerst), verdeel je het deeg in meerdere stukken en rol je het om het uiteinde van een houten stokje. Als je de bannock in de oven bakt (wat gemakkelijker is), doe je het deeg in een bakvorm. Bak het Indianenbrood ongeveer 20 minuten op 200 °C, tot het lichtbruin van kleur is.

Eet smakelijk! Mjammie!

Modeshow!

Ik heb ontdekt dat de Inuit mode niet alleen lekker zit, maar ook erg stijlvol is. Het zijn meestal eenvoudige, maar muizenissig mooi versierde kleren. De versieringen zijn er niet alleen om het mooi te maken, maar ook om de Inuit tradities in ere te houden.

ESKIMOJAS

Knielange, olijfgroene winterjas van katoen of waterdichte stof met ritssluiting, twee grote zakken en een (het liefst met wol of namaakbont) gevoerde capuchon.

PARKA

Dit oorspronkelijk van de Aleoeten* afkomstige kledingstuk is inmiddels alombekend als sportieve jas. Hij is van waterdichte stof, vaak gewatteerd, en heeft een ritssluiting. De parka, die iets korter is dan de Eskimo jas, kan voorzien zijn van een met (namaak)bont afgezette capuchon.

* Een eilandengroep tussen Rusland en de VS.

MUKLUK

De Inuit hadden speciale laarzen voor de winter en voor de zomer. De winterlaarzen hadden leren zolen met de vachtkant naar buiten gekeerd, om een betere grip op het ijs en de sneeuw te hebben. De zomerlaarzen werden met zulke kleine steekjes genaaid dat ze met het blote oog praktisch onzichtbaar waren! De Inuit maakten ook heerlijke pantoffels van superzacht leer..

ANORAK

Oorspronkelijk leren jas met capuchon. In de loop der tijd is de anorak uitgegroeid tot het meest populaire windjack. Hij is vaak van hightech stof gemaakt en heeft een grote zak middenvoor.

AMAUTI = PARKA MET BABYDRAAGZAK

Dit bijzondere kledingstuk is ideaal voor zowel moeder als kind: de moeder heeft haar poten vrij om te werken maar heeft haar kind toch altijd bij zich. De draagzak is zo gemaakt dat hij vergroot kan worden naarmate de baby groeit.

In mama's amauti, onder de warme capuchon, kunnen baby's en peuters ondanks het barre klimaat toch naar buiten. Een leren, in de taille geknoopt koord zorgt voor extra ondersteuning en ontlast mama's rug.

H_2O... OOh!

Wat mooi, die oneindige vlaktes van ijs en sneeuw! Een wonder van de natuur dat we aan de eigenschappen van het water te danken hebben. Als de temperatuur onder de 4 °C komt, krijgt water een steeds kleinere dichtheid en wordt het steeds lichter. Simpel gezegd: de watermoleculen gaan steeds minder dicht op elkaar zitten, dus het water zet uit. Bij 0 °C verandert water in ijs. IJs heeft dus een lagere dichtheid dan water, neemt meer ruimte in beslag en blijft erop drijven. Probeer het zelf eens uit met dit eenvoudige experiment! Maar vergeet niet om je door een volwassene te laten helpen.

HET EXPERIMENT:

Wat heb je nodig:

Een stevige glazen pot met deksel, water, een vriezer.

1. Vul het potje tot aan de rand met water.

2. Leg het deksel op het potje, **maar draai het niet dicht.**

3. Zet het potje in de vriezer en wacht tot het water bevroren is.

4. Kijk: het tot ijs geworden water komt over de rand van het potje en heeft het deksel omhoog geduwd!

SPEL

De lynx is een katachtig zoogdier dat bekend staat om zijn scherpe gezichtsvermogen, vooral in het donker. In Alaska komt de Canadese lynx voor *(Lynx canadensis)*, de grootste soort van Noord-Amerika.

Ontgaat jou ook niets? Probeer het uit met dit spel!
Uit de onderste tekening zijn vijf stervormige stukjes weggeknipt.
Welk van de sterretjes erboven (A, B, C, D, E of F) hoort op geen enkel leeg plekje thuis?

OPLOSSING: sterretje D hoort er niet bij. A hoort op 2, B op 3, C op 1, E op 5 en F op 4.

QUIZ

WAAR OF NIET WAAR?

VRAGEN

1) Is het waar of niet waar dat Rusland Alaska aan de VS verkocht voor maar 1 dollar per hectare?

2) Is het waar of niet waar dat Alaska ook wel "Het Grote Land" wordt genoemd?

3) De 6.198 meter hoge McKinleyberg is het hoogste punt van Noord-Amerika. Waar of niet waar?

4) De stad Fairbanks is ontstaan omdat een stoomboot aan de grond dreigde te lopen. Waar of niet waar?

5) Waar of niet waar? Kraanvogels en zwanen komen tijdens hun trek nooit in Alaska omdat het er te koud is.

6) Is het waar of niet waar dat er dwars door het uiteinde van de "Rainbow Glacier", de Regenboog Gletsjer, een ravijn loopt?

(De antwoorden staan op zijn kop op de andere pagina.)

ANTWOORDEN

1) **NIET WAAR.** Ze verkochten Alaska voor minder dan een cent per hectare!

2) **WAAR.** Alaska is groter dan Frankrijk, Italië, Zwitserland, Duitsland, Nederland en België bij elkaar.

3) **WAAR.** De McKinleyberg werd door de Athabaskan-indianen "Denali" (ofwel "de hoge") genoemd. In 1896 kreeg de berg zijn huidige naam, ter ere van president William McKinley.

4) **WAAR.** De stad ontstond toevallig in 1901 toen een stoomboot door het lage water niet verder de Chena River op kon varen. De koopman E.T. Barnette besloot om dan maar ter plekke, midden in de wildernis, een handelspost op te zetten. Het jaar daarop begon de run op het goud en Barnettes post deed... gouden zaken.

5) **NIET WAAR.** Vluchten kraanvogels en zwanen nestelen op de toendra van Alaska en brengen er hun kleintjes groot.

6) **NIET WAAR.** Het bijzondere eraan is dat de gletsjer eindigt in een stroom smeltwater die duizend meter lager als een waterval neerstort.

De bende van Ratstad

Vier ratten, uitgerust met supercriminele gadgets, zijn van plan de stad volledig leeg te roven. De Superhelden achtervolgen deze misdadigers dwars door de riolen, waar de rattenbende een reusachtig laserwapen heeft gebouwd om alle knaagdieren van Ratstad mee te verjagen. Zullen onze helden er in slagen om de Rioolratten tegen te houden?

BINNENKORT OVERAL TE KOOP!

Geronimo Stilton
SUPERHELDEN
DE BENDE
VAN RATSTAD

JOE CARROT

Hij heeft koppie-koppie, hij is dapper,
hij is detective, hij is JOE CARROT!
De enige echte! En dit is zijn eerste boek

Onze held, Joe Carrot, krijgt te maken met de heks Wrevelina. Doodsbenauwde konijnen menen haar in de buurt van de ***Vallei der Rillingen*** op een bezemsteel te zien rondvliegen, steeds om één minuut voor middernacht. Ze maakt angstaanjagende geluiden, laat akkers onderlopen en vuurballen aan de horizon verschijnen. Joe Carrot gaat op onderzoek uit, want hij wil niet alleen zijn medekonijnen helpen, hij gelooft er geen snars van. Heksen bestaan niet! Of wel?

Op een ochtend krijgt Joe Carrot belangrijk bezoek. Niemand minder dan Timmy Turbo, de aller-beroemdste formule-1 rijder van de hele archipel, geeft Joe de opdracht om op zijn raceauto, de Vuurpijl, te passen. Daar zijn de laatste tijd wat rare mankementen aan, die niet te verklaren zijn en Timmy vermoed kwade opzet. Grote kroten! Dat is nog eens een super opdracht! Lukt het Joe Carrot om de boef te vinden die de Vuurpijl onklaar maakt? Dat kan je lezen in dit spannende tweede deel van de serie, waarin je ook nog eens van alles over formule-1 racen te weten komt!

Boeken uit de serie van Geronimo Stilton:

1. Mijn naam is Stilton, Geronimo Stilton
2. Een noodkreet uit Transmuizanië
3. De piraten van de Zilveren Kattenklauw
4. Het geheimzinnige geschrift van Nostradamuis
5. Het mysterie van de gezonken schat
6. Het raadsel van de Kaaspiramide
7. Bungelend aan een staartje
8. De familie Duistermuis
9. Echte muizenliefde is als kaas...
10. Eén plus één is één teveel
11. De glimlach van Lisa
12. Knagers in het donkere woud
13. Kaas op wielen
14. Vlinders in je buik
15. Het is Kerstmis, Geronimo!
16. Het oog van Smaragd
17. Het spook van de metro
18. De voetbalkampioen
19. Het kasteel van markies Kattebas
20. Prettige vakantie, Stilton?!
21. Een koffer vol spelletjes
22. De geheimzinnige kaasdief
23. Een weekend met een gaatje
24. Halloween: lach of ik schiet
25. Griezelquiz op leven en dood
26. Gi-ga-geitenkaas, ik heb gewonnen!
27. Een muizenissige vakantie
28. Welkom op kasteel Vrekkenstein
29. De rimboe in met Patty Spring!
30. Vier knagers in het Wilde Westen
31. Geheime missie: Olympische Spelen
32. Het geheim van Kerstmis
33. De mysterieuze mummie
34. Ik ben geen supermuis!
35. Geheim agent Nul Nul K
36. Een diefstal om van te smullen

Stripboeken van Geronimo Stilton:

1. De ontdekking van Amerika
2. Het geheim van de Sfinx
3. Ontvoering in het Colosseum
4. Op pad met Marco Polo
5. Terug naar de IJstijd

Ook verschenen van Geronimo Stilton:
* De grote invasie van Rokford
* Fantasia
* Fantasia II - De speurtocht naar het geluk
* Fantasia III
* Fantasia IV - Het drakenei
* Het boekje over geluk
* Het boekje over vrede
* Het ware verhaal over Geronimo Stilton
* Knaag gezond, Geronimo!
* Knutselen met Geronimo & co
* Koken met Geronimo Stilton
* Reis door de tijd
* Reis door de tijd 2
* Schimmen in het Schedelslot
(Of: Het geheim van dapper zijn)
* Geronimo Stilton - Dagboek
* Geronimo Stilton - T-shirt met chocolade geur
* Geronimo Stilton - Verjaardagskalender
* Geronimo Stilton - Vriendenboek

Klassiekers - bewerkt door Geronimo Stilton:
* De drie muisketiers (NL) / De drie musketiers (BE)
* De reis om de wereld in 80 dagen
* Het zwaard in de steen (NL) / Koning Arthur (BE)
* Schateiland (NL) / Schatteneiland (BE)

Thea Stilton:
1. De Drakencode
2. De Thea Sisters op avontuur
3. De sprekende berg
4. De Thea Sisters in Parijs
5. De verborgen stad
6. Het ijzingwekkende geheim

Stripboeken van Thea Stilton:
1. De orka van Walviseiland

Oscar Tortuga:
1. Losgeld voor Geronimo
2. Wie wint Geronimo? (Om op te eten...)
3. De schat van kapitein Kwelgeest

WALVISEILAND
N
Z
1
2
3
4
5
6
7
8
9
10
11
11
12
13
14
15
16
17
18
19
20
21
22
23
24
25

Walviseiland

1. Valkenpiek
2. Sterrenwacht
3. Lawineberg
4. Zonnepanelen-installatie
5. Bokkenvlakte
6. Stormpunt
7. Schildpaddenstrand
8. Zanderige Strand
9. Topford College
10. Slakkenrivier
11. "De Antieke Geitenkaasmakerij": herberg en zetel van "Rattenvaart- Zeetransport"
12. Haven
13. Huize Inktvis
14. Zanzibazaar
15. Vlinderbaai
16. Mosselpunt
17. Vuurtorenrots
18. Aalscholverrotsen
19. Nachtegalenbos
20. Villa Marea: laboratorium voor zeebiologie
21. Valkenbos
22. Windgrot
23. Zeehondengrot
24. Meeuwenklipper
25. Ezeltjesstrand

Tot ziens bij het volgende avontuur!

TOPFORD
COLLEGE